万華鏡

角川文庫
23021

目次

自序

十余年来いろいろの雑誌に出してきたものの中で、科学の学生あるいは科学に興味をもつ一般読者に読んでもらってもいいと思うものを集めてこの一巻とする。古い方のものは自分でも存在を忘れてしまっていたのを小林君が丹念に拾い集めてくれたのである。そういう古いものを今読み返してみると、第一文章がまずく、内容も幼稚だと思うものが少くない。これはやむを得ない事である。もっとも、近ごろ書いたものを今から十年後に見れば恐らくやはり同様な感があるに相違ない。こういうものを上《じょう》梓《し》して世に示すのは結局自分の恥を曝《さら》すことである。しかし十年前に書いたものは自分より十年若い学生には何かの参考になるかもしれない。今書いたものは今の自分と同じような道を歩いている人には多少の共鳴を生じるかもしれない。また多くの先覚者にとっても、大人が子供の作文から時としてある示唆《しさ》を得ると同じような役目をつとめる可能性があるかもしれない。そう思って小林君の勧めに従うことにする。

その時々に書いたものを集めたのであるから、同じような事が他の場所で何度も繰返されたりして、通読の際には煩《わずら》わしく感ぜられるところがあるが、これもそのままにするほかはない。

古い方の諸篇では特にマッハやポアンカレーの書物から受けた影響のかなり著しいことに気がつく。恐らく厳密な意味での自分の創見《そうけん》などははなはだ稀薄《きはく》なものであろうと思われる。これは改めて断っておく必要がある。

ただ昔書いたものの中に現われている著者の夢のような空想のうちのある物で、その後の科学の進歩の中にいくらか確められあるいは開拓されたと思われるものがある。これはもちろん身勝手な解釈から、ただ自分だけにそう思われるだけかもしれない。しかし少くもそう思うことが、あえて恥を曝してこの集を出すについての一つの機縁となったのである。

要するにただ一人の老学生の覚束《おぼつか》ない思索の日記断片として見てもらえば一番間違いはない。

玩具の万華鏡《カレイドスコープ》をぐるぐる廻《まわ》しながら覗《のぞ》いてみるといろいろの美しい形像が現われる。この書の内容の実体は畢竟《ひっきょう》この玩具の中に入れてある硝子《ガラス》の破片と同様なものにすぎないかもしれない。しかしもし読者の脳裡《のうり》に存在する微妙な反射鏡の作用によって、そこになんらかの対照的系統的な立派な映像が出現すれば仕合せである。そう思って書物の名を「万華鏡」とする。

昭和四年二月十九日

自然現象の予報

自然現象の科学的予報については、学者と世俗との間に意志の疎通を欠くため、往々にして種々の物議を醸《かも》す事あり。また個々の場合における予報の可能の程度等に関しては、学者自身の間にも意見は必しも一定せざる事多し。左の一篇は、一般に予報の可能なるための条件や、その可能の範囲程度ならびにその実用的価値の標準等について卑見を述べ、先覚者の示教を仰ぐと同時に、また一面には学者と世俗との間に存する誤解の溝渠《こうきょ》を埋むる端緒ともなさんとするものなり。元来この種の問題の論議は勢い抽象的に傾くがゆえに、外観上往々形而上《けいじじょう》的の空論と混同さるる虞《おそれ》あり。科学者にしてかくのごとき問題に容喙《ようかい》する者は、その本分を忘れて邪路に陥《おちい》る者として非難さるる事あり。しかれども実際は科学者が科学の領域を踏み外す危険を防止するためには、時にこれらの反省的考察がかえって必要なるべし。特に予報の問題のごとき場合においてはしかりと信ず。余が不敏を顧《かえり》みずここに二、三の問題を提起して批判を仰ぐ所因もまたこれにほかならず。ただ徒《いたず》らに冗漫の辞を羅列して問題の要旨に触るるを得ざるは深く自ら慚《は》ずるところなり。これによって先覚諸氏の示教に接する機を得ば実に望外の幸なり。

一

ある自然現象の科学的予報と云えば、その現象を限定すべき原因条件を知りて、該現象の起ると否とを定め、またその起り方を推測する事なり。これはいかなる場合にいかなる程度まで可能なりや。この問題が直ちにまた一般科学の成立に関する基礎問題に聯関《れんかん》する事は明《あきらか》なり。しかし因果律の解釈や、認識論学者の取扱うごとき問題は、余のここに云為《うんい》すべきところにあらず。ただ物理学上の立場より卑近なる考察を試むべし。

厳密なる意味において「物理的孤立系」なるものが存せず、すなわち「万物相関」という見方よりすれば、一つの現象を限定すべき原因条件の数はほとんど無限なるべし。それにかかわらず現に物理学のごときものの成立し、かつ実際に応用され得るはいかん。これは要するに適当に選ばれたる有限の独立変数にてある程度までいわゆる原因を代表し、いわゆる方則によりて結果の一部を予報し得るによる。これにはいわゆる原因と称するものの概念の抽象選択の仕方が問題となる。これは結局経験によって定まるものにして、原因の分析という事自身がすでに経験的方則の存在を予想する事は明なり。物理的科学発展の歴史に遡《さかのぼ》れば、到る処かくのごとき方則の予想によって原因の分析、すなわち最も便宜なる独立変数の析出に勉めたる痕跡《こんせき》を見出《みいだ》し得べし。しかしてこの試みが成効して今日の物理的自然科学となれり。力学における力、質量等のごとき、熱力学における温度エントロピーのごときこれなり。これらの概念と定義とが方則の云い表わしと切り離しがたきはこのためなり。物理的自然現象を限定すべき条件等がすべてこれらの有限なる独立変数にて代表され得るや否やは別問題として、現在の物理学的科学の程度において、従来の方法によりて予報をなし得る範囲はいかなるべきかが当面の問題なり。

まず従来の既知方則の普遍なる事を仮定せば、すべての主要条件が与えらるれば結果は定まると考えらる。しかしながら実際の自然現象を予報せんとする場合に、この現象を定むべき主要条件を遺漏《いろう》なく分析する事は必しも容易ならず。ゆえに各種原因の重要の度を比較して、影響の些少《さしょう》なるものを度外視し、いわゆる「近似」を求むるを常とす。しかしてこれら原因の取捨の程度に応じて種々の程度の近似を得るものと考う。この方法は物理的科学者が日常使用するところにして、学者にとりてはおそらく自明的の方法なるも、世人一般に対しては必しもしからず。学者と素人《しろうと》との意思の疎通せざる第一の素因はすでにここに胚胎《はいたい》す。学者は科学を成立さする必要上、自然界にある秩序方則の存在を予想す。したがってある現象を定むる因子中より第一にいわゆる偶発的突発的なるものを分離して考うれども、世人はこの区別に慣れず。一例を挙ぐれば、学者は掌中の球を机上に落す時これが垂直に落下すべしと予言す。しかるに偶然窓より強き風が吹き込みて球が横に外れたりとせよ。俗人の眼より見ればこの予言は外れたりと云うほかなかるべし。しかし学者は初め不《ふ》言裡《げんり》に「かくのごとき風なき時は」と云う前提をなしいたるなり。この前提が実用上無謀ならざる事は数回同じ実験を繰返す時は自《おのず》から明なるべきも、とにかくここに予言者と被予言者との期待に一種の齟齬《そご》あるを認め得べし。

次には近似の意義に関する意見の齟齬が問題となる。学者が第一次近似をもって甘んずる時、世人はかえって第二次近似あるいは数学的の精確を期待する場合もあり。これは後に詳説する天気予報の場合において特に著し。かくのごとき見解と期待との相違より生ずる物議は世人一般の科学的知識の向上と共に減ずるはもちろんなれども、一方学者の側においても、科学者の自然に対する見方が必しも自明的、先験的ならざる事を十分に自覚して、しかる後世人に対する必要もあるべし。（この点は、単に予報のみの問題に限らず一般科学教育を施す人の注意すべき点なるべしと信ず。中学校にて始めて物理学を学ぶ際に「何故にかくのごとく考えざるべからざるか」との疑問が暗々裡に学生の脳裡に起りて何人《なんぴと》もこれが解決を与えざるがゆえに、力と云い、質量と云い、仕事と云うがごとき言葉は、あたかも別世界の言葉のごとく聞え、しかもこれらの考《かんがえ》が先験的必然のものなるにかかわらず自分はこれを理解し得ずとの悲観を懐《いだ》かしむる傾向あり。世人一般の科学に対する理解と興味とを増進するには、少くも中等教育において科学的認識論方法論の初歩を授くるも無用にはあらざるべし。）

二

さて従来の科学の立場より考えて、すべての主要原因が与えられたりと仮定すれば結果は常に単義的《ユニーク》に確定すべきか。これはやや注意深き考慮を要する問題なり。いわゆる精密科学においても吾人《ごじん》は偶然と名づくるものを許容す。これ一般に部分的の無知を意味す。すなわち条件をことごとく知らざる事を意味す。いかなる測定をなす際にも直接間接に定め得る数量の最後の桁《けた》には偶然が随伴す。多くの世人は精密科学の語に誤られてこの点を忘却するを常とす。

一層偶然の著しき場合は、例えば鉛筆を尖端《せんたん》にて直立せしめ、これがいずれの方向に倒るるかという場合、あるいは賽《さい》を投げて何点が現わるるかというごとき場合なり。これらの場合においても、もしすべての条件がどこまでも精《くわ》しく与えられおれば結果は必ず単義的に定まるべしというがいわゆる科学的定数論者の立場なり。これはおそらく大多数の科学者の首肯《しゅこう》するところなるべし。しかし実際にはこれらのすべての条件が知りがたきゆえに結果の単義性は問題となる。

抽象的、数学的に考うれば複義性なる函数《かんすう》は無数に存在す。例えばファン・デル・ワール等の理論に従えば、瓦斯《ガス》体《たい》の圧を与うればその体積には三種の可能価ある事となる。この理論の当否は問わざるも、抽象的にこの事は可能なるべし。今かくのごとき場合にも天然現象は必ず単義的に起るとすれば、それはいかなる理由によるべきか。ここに「安定度」とか「公算」とかいう言葉が科学者の脳裡に浮ぶべし。ここに吾人は科学と形而上学との間の際どき境界線に逢着《ほうちゃく》すべし。熱力学にエントロピーの観念の導入され、またエントロピーと公算との結合を見るに到りし消息もまたここに到って自ら首肯さるべし。

安定や公算の意味に関する議論はしばらく措《お》き、種々の可能法ある場合にもおのおのの公算を比較する時、吾人の経験はその中の一つが特に大なるべしと期待せしむる傾向を有す。実際多くの場合にこの期待は吾人を欺かず。しかれども予報という事に聯関して重大なる問題はそれが「常にしかるか」という事なり。

単義性という言葉にも種々の意味あり。数学的、絶対的の単義性といえば、一はどこまでも一にて二は必ず二なるべし。しかし自然現象に偶然を許容すれば吾人の当面の問題は公算的単義性なり。すなわち公算曲線の山が唯一なりやという事が刻下の問題なり。さてすべての場合にこれは唯一なりや。しからざる場合は一般には多数あるべし。例えば馬の鞍《くら》の形をなせる曲面の背筋の中点より球を転下すれば、球の経路には二条の最大公算を有するものあるべし。またある時間内に降れる雨滴の大《おお》きさを験する時は、その大さの公算曲線には数個の山を見出すべし。これらの場合を総括するに、いずれもかつてポアンカレーの述べしごとく「原因の微分的変化が結果の有限変化を生ずる場合」に当るを見る。自然現象予報の可能程度を論ずる際に忘るべからざる標準の一つはここに係る。後にさらに実地問題につきて述ぶる事とせん。

次に原因を定むる独立変数と称するものの性質が問題となる。変数が長さ、時間、あるいはこれらの合成によりて得らるるものならば比較的簡単なれども、例えば物体の温度、荷電等のごとき性質のものが与えられたりとせよ。もし物体の内部構造等に立ち入らざるマクロスコピックの見方よりすればこれらの量は直ちに物体の状態を単義的に指定すれども、これに反し分子説、電子説の立場よりミクロスコピックの眼にて見れば、これらの量にては物体の内部状況は単義的には指定されずほとんど無限に複義的にして、吾人の知り得るは実にただその統計的単義性にほかならず。この場合に単に温度を与えても各分子箇々の運動を予報すべくもあらず。

例えばまた過飽和の状態にある溶液より結晶が析出する場合のごとき、これがいつ結晶を始め、また結晶の心核がいかに分布さるべきかを精密に予報せんとする時、単に温度したがって過飽和度を知るのみにては的中の見込はきわめて小なるべし。ただ吾人は過飽和度の増加に伴うて結晶析出を期待する公算を増す事を知り、また結晶中心の数につきても公算的にある期待をなす事を得るに過ぎず。しかるにもし人間以上の官能を有するいわゆるマクスウェルの魔のごときものありて、分子一つ一つの排置運動を認めその運動や結合の方則を知りて計算するを得ば、少くも吾人が日蝕《につしょく》を予報するくらいの確かさをもってこれらの現象を予報するを得べし。

三

今天然に起る現象を予報せんとする際に感ずる第一の困難は、その現象を限定すべき条件の複雑多様なる事なり。

実験室においては行う簡単なる実験においてはこれら条件を人為的に支配し制限し得る便あり。しかも最も簡単なるデモンストレーション的実験においてすら、用意の周到ならざるため、条件のただ一つを看過《かんか》すれば実験の結果は全く予期に反する事あるは吾人の往々経験するところなり。これらの失敗に際して実験者当人は、必要条件を具備すれば、結果は予期に合すべきを信ずるがゆえにあえて惑う事なしとするも、未《いま》だ科学的の思弁に慣れず原因条件の分析を知らざる一般観者は不満を禁ずる能《あた》わざるべし。また場合により実験の結果が半ばあるいは部分的に予期に合すれば実験者たる学者はその適合せる部分だけを抽出して自己の所説を確かむれども、かくのごとき抽象的分析に慣らされざる世俗は了解に苦しむ事もあるべし。

かくのごとき困難は天然現象の場合に最も著しかるべし。試にまず天気予報の場合を考えん。

太古の時代より天気予報の試みは行われたれども、分析的科学の発達せざりし時代には、天気を限定すと考えられし条件、あるいは独立変数がきわめて乱雑なる非科学的のものなりしなり。もっとも雲の形状運動や、風向、気温のごとき今日のいわゆる気象要素と名づくるものの表示によりたる事もあれど、同時にまた動物の挙動や人間の生理状態のごとき綜合《そうごう》的の表現をも材料としたり。かくのごとき材料も場合によりてはあえて非科学的とは称しがたきも、とにかく物理学的方法を応用する場合の独立変数としては不適当なるものなりしなり。今日の気象学においていわゆる気象要素と称するものはこれに反して物理学の基礎の上に設定されたるものにして、これらを材料とせる予報は純然たる物理学的の予報にほかならず。したがって物理学上の予報につきて感ぜらるる困難もまた同時に随伴し、ことに条件の多数なるためにその困難は一層増加すべし。かくのごとき場合にはいわゆる主要条件の選択が重要なるはすでに述べたるがごとし。現今の物理的気象学の立場より考えて今日のいわゆる要素の数は大体において理論上主要の項を悉《しつ》したりと考えらる。しかるに実用上の問題はいかなる程度までこれらの要素を実測し得るかという事なり。測候所の数には限りあり、観測の範囲、回数にも限定あり。特に高層観測のごとき一層この限定を受くる事はなはだし。それにもかかわらず現に天気予報がその科学的価値を認められ、実際上ある程度まで成効しおるはいかなる理由によるべきか。

数十里、数百里を距《へだ》てたる測候所の観測を材料として吾人はいわゆる等温線、等圧線を描き、あるいは風の流線の大勢を認定す。この際吾人の行為に裏書きする根拠はいずこにありやというに、第一にこれら要素の空間的時間的分布が規則正しきという事なり。換言すれば、これら要素の時間的空間的微分係数が小なりという事なり。これが小なる時に等温線や等圧線は有意義となり、これに物理学上の方則が応用さるるなり。

今鋭敏なる熱電堆《たい》をもって気温を測定する時は、いかなる場合にも一尺を距てたる二点の温度は一般に同じからず。この差は数秒あるいは数分の不定なる週期をもって急激に変化するを見出すべし。すなわち小規模、短週期の変化を特に注意すれば上の微分係数は決して小ならず。かくのごとき眼より見れば実際の等温線は大小無数の波状凹凸を有しこれが寸時も止まらず蠢動《しゅんどう》せるものと考えざるべからず。かくのごとき状態を精密に予報する事はいかなる気むずかしき世人もあえて望まざるべし。しかし今少しく規模を大きくして一村、一市街の幅員と同程度なる等温線の凹凸やその時間的変化となれば、すでに世人の利害に直接間接の交渉を生ずるに至る事あり。積雲の集団がある時間内にある村の上を多く過ぐるか少く過ぐるかは、時にはその村民にとりてはかなり重大なる場合もあるべし。小区域の驟雨《しゅうう》が某市街を通過するか、その近郊のみを過ぐるかはその市民にとりては無差別にはあらず。しかれどもかくのごとき小規模の現象の予報をなし得るためには、(この予報が可能としても)少くも測候所の数を現在の数百倍数千倍に増加せざるべからず。

現在の天気予報はかくのごとき要求を充《みた》すためのものにあらず。各測候所の平均領域の幅員に比して微細なる変化は度外視し、定時観測期間の長さに比して急激なる変化をも省略して近似的等温線あるいは等圧線を引くに過ぎず。例えば土地山川の高低図を作る際に道路の小凹凸、山腹の小さき崖崩《がけくず》れを省略するに同じ。これを省くとも鉄道運河の大体の設計にはなんらの支障を生ずる事なかるべし。これに反して荷車を挽《ひ》く労働者には道路の小凹凸は無意味にあらず。墓地の選定をなさんとする人には山腹の崖崩れは問題となるべし。

世人の天気予報に対する誤解と不平は畢竟《ひっきょう》この点に係る。二十万分の一の地図を手にして道路の小凹凸を索《もと》め、物体の温度を知りてその分子各個の運動を知らんとすると同様なる誤解に起因す。

四

次に地震予報の問題に移りて考えん。地震の予報ははたして可能なりや。天気予報と同じ意味において可能なりや。

地震がいかにして起るやは今もなお一つの疑問なれども、ともかくも地殻《ちかく》内部における弾性的平衡が破るる時に起る現象なるがごとし。これが起ると否とを定むべき条件につきては吾人未だ多くを知らず。すなわち天気の場合における気象要素のごときものが未だ明に分析されず。この点においてもすでに天気の場合と趣を異にするを見る。

地殻の歪《ひずみ》が漸次蓄積して不安定の状態に達せる時、適当なる第二次原因例えば気圧の変化のごときものが働けば地震を誘発する事は疑《うたがい》なきもののごとし。ゆえに一方において地殻の歪を測知し、また一方においては主要なる第二次原因を知悉《ちしつ》するを得れば地震の予報は可能ならるらしく思わる。この期待はいかなる程度まで実現され得べきか。

地下の歪の程度を測知する事はある程度までは可能なるべく、また主なる第二次原因を知る事も可能なるべし。今仮りにこれらがすべて知られたりと仮定せよ。

さらに事柄を簡単にするため、地殻の弱点はただ一箇所に止《とどま》り、地震が起るとせば必ずその点に起るものと仮定せん。かつまた第二次原因の作用は毫《ごう》も履歴効果を有せず、すなわち単に現在の状況のみによりて事柄が定まると仮定せん。かくのごとき理想的の場合においても地震の突発する「時刻」を予報する事はかなり困難なるべし。何となればこの場合は前に述べし過飽和溶液の晶出のごとく、現象の発生は吾人の測知し得るマクロスコピックの状態よりは、むしろ吾人にとりては偶然なるミクロスコピックの状態によりて定まると考えらるるがゆえなり。換言すればマクロスコピックなる原因の微分的変化は結果の有限なる変化を生ずるがゆえなり。この場合は重量を加えて糸を引き切る場合に類す。しかしともかくも歪が増すに従って現象の発生を期待する公算の増加するはもちろんにて、したがって歪がある程度に達するまでは現象は起らずと安心すべき根拠を与うべし。この場合に当り、時と共に現象の発生に対する期待の増加する状況を示す線が与えられたりとせよ。しかしてこの曲線の傾斜がはなはだ緩《ゆるやか》にして十年二十年あるいは人間一代の間に著しき変化を示さぬごときものならばいかなるべきか。この場合には箇々の人間にとりての予報の実用的価値はきわめて少かるべし。

次に上の仮想的の場合において現象の発生する時期がある程度まで知られたりと仮定せよ。この場合に起る地震の強弱の度をいかほどまで予知し得べきか。単に糸を引き切る場合ならば簡単なれども、地殻のごとき場合には破壊の起り方には種々の等級あるべし。破壊がただ一回に終らず、数回の段階的変化によるとすれば、これらの推移中に歪の変化は複雑に起り、場合によりては毎回地震の強度は微弱なる事もあるべく、また時にはその中に強震を生ずる事もあるべし。かくのごとき差別が偶然的局部的の異同に支配さるるとせば、広区域にわたるマクロスコピックの平均状態を知るのみにては信憑《しんぴょう》すべき実用的の予報は不可能に近し。

上記のごとき地殻の弱点が一箇所に止らず、多数に分布されいる場合にはさらに困難なり。この場合には第一にこれらの分布を知り、またすべての弱点に対する歪の限界値を知り、同時にすべての弱点における歪の刻々の現状を知るを要す。仮りにこれらが知られたりとするも、多数の弱点が同時に不安定に近づく時、そのいずれがまず変化を始むべきかはいわゆる偶然の決するところなるべし。この場合においても予報の意味は世人の期待とははなはだしく離反すべし。

実際の地殻においてはその弱点の分布は必しも簡単ならず、しかもおのおのの弱点は相互に独立ならず、なんらかの関係を有すべく、特に一層事柄を複雑にするは、地殻岩石の弾性履歴効果の著しき事なり。これらがことごとく知られたりとするも、現象の性質上、原因の微分的変化に対して、結果の変化は有限にしてかつその単義性も明ならず。具体的に云えば地辷《じすべ》り等がある限界内に止れば、それだけにて止むも、少しにてもこれを超ゆれば他の弱点の破壊を誘起してさらに大なる変動を起す事もあるべく、その際いかなる弱点が誘発さるるやはまた偶然的なる地下の局部的構造によると考えらる。

かくのごとき場合に普通の簡単なる公算論の結果を応用せんとするには至大の注意

を要する事は明なるべし。

五

予報の可能・不可能という事は、考え方によればあまりに無意味なる言葉なり。例えば今月中少くも各一回の雨天と微震あるべしというごとき予報は何人も百発百中の成効を期して宣言するを得べし。ここに問題となるは予報の実用的価値を定むべき標準なり。

予報によりて直接間接に利便を感ずべき人間の精神的物質的状態は時ならびに空間と共に変化しつつあり。したがって天然界のある状態がその人間に有利なるか不利なるかは時と場所とによりて変化す。例えば水草を追って移牧する未開人にとりては時と共に利害の係る土地の範囲を移動す。また一つの都府の市民というごとき抽象的の団体を考うる時はその要素たる各個人とは独立に時と共に不変なる標準も考えらるれども、一般には必しもしからず。例えば一般の東京市民にとりては、夜半の小雨はあえて利害を感ぜざるべきも昼間の雨には無頓着《むとんちゃく》ならず。また平日一般の日本国民は京都市の晴雨に対しては冷淡なるも、御大典《ごたいてん》当時は必しもしからざるべし。

数学的の言葉を借りて云えば、各個人、市民、あるいは国民がある現象に対して利害を感ずる範囲は時間と空間とより組成されたる四元空間中において、ある面にて囲まれたる部分にて示す事を得べし。この部分は単独なる場合も、数個なる場合もあるべし。

自然現象の予報もまた同様に、時と空間のある範囲内に指定する時に始めて意義あるものとなる。例えば明日中某々地方に降雨あるべしというがごとし。これらの予報が普通世人にとりて実用的価値を有するための条件は、思うに「その現象のために利害を感ずべき個人あるいは団体の利害を感ずる範囲領域の大さに対して、予報の指定する範囲の大さが比較的大ならず、かつ前者に対する後者の位置の公算的変化の範囲の小なる事」なり。

具体的の例を挙ぐれば、東京市民にとりては「明日正午まで京浜地方西北の風晴」と云い、あるいは「本日午後驟雨模様あり」というがごときは多数の世人に有用有意義なり。またもし「一週間内に東海道の大部分に降雨あるべし」との予報をなし得たりとせば、東京市民にとりてはきわめて漠然たる印象を与うべし。これ予報の範囲が東京市民の日常生活上雨に関して利害を感ずる範囲に比してあまりに大なるがゆえなり。しかれども連日雨に渇する東海道の農民にとりてはこの予報は非常の福音たるに相違なかるべし。

次に地震の場合はいかん。もし仮りに「来る六、七月の頃、東京地方に破壊的地震あるべし」との予報が科学的になし得られたりと仮定せよ。これが十分の公算を有する事が明なれば、市民は十分の覚悟をもって変に備うべし。次に「今後五十年内に日本南海岸の中一部分に強震あるべし」という事がよほど確実なりと仮定せよ。この予報は各個の市民にとりては幾分漠然たる予言者の声を聞くがごとき思いあるべし。五十年は個人の生命に対してあまりに短からず。その間に個人の生命も住所もいかになるべきか明ならざるなり。しかれども日本政府の眼より見れば五十年は決して長からず、南海岸は邦土の一部分なり。この予報がなし得らるればこれによりて国家が享《う》くべき直接間接の利益は少からざるべし。

噴火の場合もこれに同じ。仮りに科学的に信憑《しんぴょう》すべき根拠よりして、来る六十年ないし七十年間に某火山系に活動を予期し得るとせば、個人に対してはともかく、一県一道の為政者にとりては多大の参考となるべし。

予報者と被予報者との意志の疎通せざる手近き原因は、予報の指定する範囲と被予報者の利害範囲の大さの相違とその公算的不整合を許容する程度の差異に帰すべしと思わる。

最後に卑近なる例を挙げて所説を補わん。木の葉をつたい歩く蟻にとりては一粒一粒の雨滴の落つる範囲を方数ミリの内に指定する事が必要なれども、吾人人間には多くの場合にただ雨量と称する統計的の数量が知らるれば十分なり。

六

以上述べたる所に基き《もとづ》、また現在科学の進歩程度に鑑み《かんが》て天気予報と地震予報とを対照すれば、その間に多大の差異あるを認めざるを得ず。現在の気象観測制度をもってすれば各気象区域における大体の天気の推移を予知する事は十分可能にして、観測の範囲の拡張につれて的中の公算を増すべしと考えらる。しかれども毎平方里における雨量の異同を予言するがごときは望みがたかるべし。地震の場合においては、未だ気象要素に相当すべき条件さえ明白ならず。したがって解析的の方法を取るべき材料未だ具備せず。これらが一通り具備したる暁においても現象の偶然性を除く程度まで精《くわ》しくこれを知悉する困難は現象の性質上はなはだ大なるべし。かくのごとき場合には公算論の指示する統計的方法を取るほかなかるべきも、公算が変数の連続函数なりと断定しがたく、また最大公算を有する場合が唯一ならざる場合には特別に慎重なる考慮を要すべし。

地震予報をして天気予報のごとき程度まで有効ならしむるにはいかなる方向に研究を進むべきかは重要なる問題なり。物理学上の問題としては、地殻岩石の弾性に関する各種の実験のごときはきわめて肝要なるべし。一方においては統計的にいわゆる第二次原因の分析を試むるも有益なり。しかれども統計に信頼するためには統計の基礎を固むる必要あるべし。普通公算論の適用さるる簡単なる場合においても場合の数が小なる時は自然の表現は理論の指示するところと大なる懸隔《けんかく》を示す事あり。これも忘るべからざる事なり。なお一般弾性体の破壊に関してその弱点の分布や相互の影響あるいは破壊の段階的進歩に関する実験的研究を行い、破壊という現象に関するなんらかの新しき方則を発見する事も必しも不可能ならざるべし。すなわち従来普通に考うるごとく、弾性体を等質なるものと考えず複雑なる組織体と考えて、その内部における弱点の分布の状況等に関し全く新しき考よりして実験的研究を積むも無用にあらざるべきか。

（大正五年三月）

科学者と芸術家

芸術家にして科学を理解し愛好する人も無いではない。また科学者で芸術を鑑賞し享楽《きょうらく》する者もずいぶんある。しかし芸術家の中には科学に対して無頓着《むとんちゃく》であるか、あるいは場合によっては一種の反感を抱くものさえあるように見える。また多くの科学者の中には芸術に対して冷淡であるか、あるいはむしろ嫌忌《けんき》の念を抱いているかのように見える人もある。場合によっては芸術を愛する事が科学者としての堕落であり、また恥辱《ちじょく》であるように考えている人もあり、あるいは文芸という言葉からすぐに不道徳を聯想《れんそう》する潔癖家さえ稀《まれ》にはあるように思われる。

科学者の天地と芸術家の世界とはそれほど相いれぬものであろうか、これは自分の年来の疑問である。

夏目《なつめ》漱石《そうせき》先生がかつて科学者と芸術家とは、その職業と嗜好《しこう》を完全に一致させうるという点において共通な者であるという意味の講演をされた事があると記憶している。もちろん芸術家も時として衣食のために働かなければならぬと同様に、科学者もまた時として同様な目的のために自分の嗜好に反した仕事に骨を折らなければならぬ事がある。しかしそのような場合にでも、その仕事の中に自分の天与の嗜好に逢着《ほうちゃく》して、いつのまにかそれが仕事であるという事を忘れ、無我の境に入りうる機会も少くないようである。いわんや衣食に窮せず、仕事に追われぬ芸術家と科学者が、それぞれの製作と研究とに没頭している時の特殊な心的状態は、その間になんらの区別をも見出しがたいように思われる。しかしそれだけのことならば、あるいは芸術家と科学者のみに限らぬかもしれない。天性の猟師が獲物を狙《ねら》っている瞬間に経験する機微な享楽も、樵夫《しょうふ》が大木を倒す時に味《あじわ》う一種の本能満足も、これと類似の点がないとはいわれない。

しかし科学者と芸術家の生命とするところは創作である。他人の芸術の模倣は自分の芸術でないと同様に、他人の研究を繰返すのみでは科学者の研究ではない。もちろん両者の取扱う対象の内容には、それは比較にならぬほどの差別はあるが、そこにまたかなり共有な点がないでもない。科学者の研究の目的物は自然現象であってその中になんらかの未知の事実を発見し、未発の新見解を見出そうとするのである。芸術家の使命は多様であろうが、その中には広い意味における天然の事象に対する見方とその表現の方法において、なんらかの新しいものを求めようとするのは疑《うたがい》もない事である。また科学者がこのような新しい事実に逢着した場合に、その事実の実用的価値には全然無頓着に、その事実の奥底に徹底するまでこれを突き止めようとすると同様に、少くも純真なる芸術が一つの新しい観察創見に出逢《でお》うた場合には、その実用的の価値などには顧慮《こりょ》する事なしに、その深刻なる描写表現を試みるであろう。古来多くの科学者がこのために迫害や愚弄《ぐろう》の焦点となったと同様に、芸術家がそのために悲惨な境界に沈淪《ちんりん》せぬまでも、世間の反感を買うた例は尠《すくな》くあるまい。このような科学者と芸術家とが相逢うて肝胆相照らすべき機会があったら、二人はおそらく会心の握手を交《かわ》すに躊躇《ちゅうちょ》しないであろう。二人の目差すところは同一な真の半面である。

世間には科学者に一種の美的享楽がある事を知らぬ人が多いようである。しかし科学者には科学者以外の味《あじわ》う事のできぬような美的生活がある事は事実である。例えば古来の数学者が建設した幾多の数理的の系統はその整合の美においておそらくあらゆる人間の製作物中の最も壮麗なものであろう。物理化学の諸般の方則はもちろん、生物現象中に発見される調和的普遍的の事実にも、単に理性の満足以外に吾人《ごじん》の美感を刺戟《しげき》する事は少くない。ニュートンが一見捕捉《ほそく》しがたいような天体の運動も簡単な重力の方則によって整然たる系統の下に一括される事を知った時には、実際ヴォルテーアの謳《うた》ったように、神の声と共に渾沌《こんとん》は消え、闇《やみ》の中に隠れた自然の奥底はその帷帳《とばり》を開かれて、玲瓏《れいろう》たる天界が目前に現われたようなものであったろう。フォーグトはその結晶物理学の冒頭において結晶の整調の美を管絃楽《かんげん》に譬《たと》えているが、また最近にラウエやブラグの研究によって始めて明らかになった結晶体分子構造のごときものに対しても、多くの人は一種の「美」に酔わされぬわけにいかぬ事と思う。この種の美感は、例えば壮麗な建築や崇重な音楽から生ずるものと根本的にかなり似通ったところがあるように思われる。

また一方において芸術家は、科学者に必要なと同程度、もしくはそれ以上の観察力や分析的の頭脳をもっていなければなるまいと思う。この事はあるいは多くの芸術家自身には自覚していない事かもしれないが、事実はそうでなければなるまい。いかなる空想的夢幻的の製作でも、その基底は鋭利な観察によって複雑な事象をその要素に分析する心の作用がなければなるまい。もしそうでなければ一木一草を描き、一事一物を記述すると云う事は不可能な事である。そしてその観察と分析とその結果の表現の仕方によってその作品の芸術としての価値が定まるのではあるまいか。

ある人は科学をもって現実に即したものと考え、芸術の大部分は想像あるいは理想に関したものと考えるかもしれないが、この区別はあまり明白なものではない。広い意味における仮説なしには科学は成立し得ないと同様に、厳密な意味で現実を離れた想像は不可能であろう。科学者の組み立てた科学的系統は畢竟《ひっきょう》するに人間の頭脳の中に築き上げ造り出した建築物製作品であって、現実その物でない事は哲学者を俟《ま》たずとも明白な事である。また一方において芸術家の製作物はいかに空想的のものでもある意味において皆現実の表現であって天然の方則の記述でなければならぬ。俗に絵そら事という言葉があるが、立派な科学の中にも厳密に詮索《せんさく》すれば絵そら事は数えきれぬほどある。科学の理論に用いらるる方便仮説が現実と精密に一致しなくても差支えがないならば、いわゆる絵そら事も少しも虚偽ではない。分子の集団から成る物体を連続体と考えてこれに微分方程式を応用するのが不思議でなければ、色の斑点《はんてん》を羅列《られつ》して物象を表わす事も少しも不都合ではない。

もう少し進んで科学は客観的、芸術は主観的のものであると云う人もあろう。しかしこれもそう簡単な言葉で区別のできるわけではない。万人に普遍であるという意味での客観性という事は必しも科学の全部には通用しない。科学が進歩するにつれてその取扱う各種の概念はだんだんに吾人の五官と遠ざかってくる。したがって普通人間の客観とはしだいに縁の遠いものになり、云わば科学者という特殊な人間の主観になってくるような傾向がある。近代理論物理学の傾向がプランクなどの云うごとくしだいに「人間本位《アントロポモルフエン》の要素《エレメンテ》」の除去にあるとすればその結果は一面において大に客観的であると同時にまた一面においては大に主観的なものとも云えない事はない。芸術界におけるキュービズムやフツリズムが直接五官の印象を離れた概念の表現を試みているのとかなり類したところがないでもない。

　次に、自然科学においてはその対象とする事物の「価値」は問題とならぬが、その研究の結果や方法の学術的価値には自ら他に標準がある。芸術のための芸術ではその取扱う物の価値よりその作物の芸術的価値が問題になる。そうして後者の価値という事がむつかしい問題であると同様に前者の価値という事も厳密には定めがたいものである。

　科学の方則や事実の表現はこれを云い表わす国語や方程式の形のいかんを問わぬ。しかし芸術は事物その物よりはこれを表現する方法にあるとも云わば云われぬ事はあるまい。しかしこれもそう簡単ではない。なるほど科学の方則を日本語で訳しても英語で現わしても、それは問題にならぬが、しかし方則自身が自然現象の一種の云い表わし方であって事実その物ではない。ただ云い表わすべき事柄が比較的簡単であるために、表わし方が多様でないばかりで必しもただ一つではない。芸術の表現しようとするは、写してある事物自身ではなくてそれによって表わさるべき「ある物」であろう、ただそのある物を表わすべき手段が一様でない、国語が一定しない。しかし強いて云えば、一つの芸術品はある言葉で表わした一つの「事実」の表現であるとも云われぬ事はない。

しからば植物学者の画いた草木の写生図や、地理学者の描いた風景のスケッチは芸術品と云われうるかというに、それはもちろん違ったものである。なぜとならば事実の表現は必しも芸術ではない。絵を描く人の表わそうとする対象が違うからである。科学者の描写は草木山河に関したある事実の一部分であるが、芸術家の描こうとするものはもっと複雑な「ある物」の一面であって草木山河はこれを表わす言葉である。しかしそのある物は作家だけの主観に存するものでなくてある程度までは他人にも普遍的に存する物でなければ、鑑賞の目的物としてのいわゆる芸術は成立せず、したがってこれの批評などという事も無意味なものとなるに相違ない。このある物を強いて言語や文学で表わそうとしても無理な事であろうと思うが、自分はただ密《ひそ》かにこの

「ある物」が科学者のいわゆる「事実」と称し「方則」と称するものと相去る事遠からぬものであろうと信じている。

しかしこのような問題に深入りするのはこの篇の目的ではない。ただもう少し科学者と芸術家のコンジェニアルな方面を列挙してみたいと思う。

観察力が科学者芸術家に必要な事はもちろんであるが、これと同じように想像力も両者に必要なものである。世には往々科学を誤解してただ論理と解析とで固め上げたもののように考えている人もあるがこれは決してそうではない。論理と解析ではその前提においてすでに包含《ほうがん》されている以外の何物をも得られない事は明である。綜合という事がなければ多くの科学はおそらく一歩も進む事は困難であろう。一見なんらの関係もないような事象の間に密接な連絡を見出し、箇々別々の事実を一つの系に纏《まと》めるような仕事には想像の力に待つ事ははなはだ多い。また科学者には直感が必要である。古来第一流の科学者が大きな発見をし、優れた理論を立てているのは、多くは最初直感的にその結果を見透《みとお》した後に、それに達する論理的の径路を組み立てたものである。純粋に解析的と考えられる数学の部門においてすら、実際の発展は偉大な数学者の直感に基く事が多いと云われている。この直感は芸術家のいわゆるインスピレーションと類似のものであって、これに関する科学者の逸話等も少くない。永い間考えていてどうしても解釈のつかなかった問題が、偶然の機会にほとんど電光のように一時に隈《くま》なくその究極を示顕《じげん》する。その光で一度目標を認めた後には、ただそれが誰にでも認め得られるような論理的あるいは実験的の径路を開墾するまでである。もっとも中には直感的に認めた結果が誤謬《ごびゅう》である場合もしばしばあるが、とにかくこれらの場合における科学者の心の作用は芸術家が神来の感興を得た時のと共通な点が少くないであろう。ある科学者はかくのごとき場合にあまりはなはだしく興奮してしばらく心の沈静するまでは筆を取る事さえできなかったという話である。アルキメーデスが裸体で風呂桶《ふろおけ》から飛び出したのも有名な話である。

それで芸術家が神来的に得た感想を表わすために使用する色彩や筆触や和声や旋律や脚色や事件は云わば芸術家の論理解析のようなものであって、科学者の直感的に得た黙示を確立するための論理的解析はある意味において科学者の技巧《テクニック》とも見らるべきものであろう。

もっともこのような直感的の傑作は科学者にとっては容易に期してできるものではない。それを得るまでは不断の忠実な努力が必要である。勉めて自然に接触して事実の細査に執着しなければならない。常人が見逃すような機微の現象に注意してまずその正しいスケッチを取るのが大切である。このようにして一見はなはだつまらぬような事象に没頭している間に突然大きな考が閃《ひらめ》いてくる事もあるであろう。

科学者の中にはただ忠実な箇々のスケッチを作るのみをもって科学者本来の務《つとめ》と考え、すべての綜合的思索を一概に投機的とし排斥する人もあるかもしれない。また反対に零細のスケッチを無価値として軽侮《けいぶ》する人もあるかもしれないが、科学というものの本来の目的が知識の系統化あるいは思考の節約にあるとすれば、まずこれらのスケッチを集めこれを基として大きな製作を纏め渾然《こんぜん》たる系統を立てるのが理想であろう。これと全く同じ事が芸術についても云われるであろうと信ずる。

ある哲学者の著書の中に、小説戯曲は倫理的の実験《エキスペリメント》のようなものだという意味の事があった。実際例えば理論物理学で常に使用さるるいわゆる思考実験《ゲダンケンエキスペリメント》と称するものはある意味において全く物理学的の小説である。かつて何人も実験せずまた将来も実現する事のありそうもない抽象的な条件の下に行わるべき現象の推移を、既知の方則から推定し、それからさらに他の方則に到達するような筋道は、あるいは小説以上に架空的なものとも云われぬ事はない。ただ小説の場合には方則があまりに複雑であって演繹《えんえき》の結果が単義的《ユニーク》でなく、答解が幾通りでもあるに反して、理学の場合にはそれがただ一つだという点に著しい区別がある。それはとにかくとして小説家が架空の人物を描出してそれら相互の間に起る事件の発展推移を脚色している時の心の作用と、科学者が物質とエネルギーを抽象してきてその間に起るべき現象の径路を演繹している時のそれとはよほど似たものであるように思われる。少くもこの種の科学者は小説家を捕えて虚言者と罵《ののし》る権利はあるまい。小説戯曲によっては現実に遠い神秘的あるいは夢幻的なものもあるが、しかしこれが文学的作品として成立するためにはやはり読者の胸裡に自ら存在する一種の方則を無視しないものでなければならない。これを無視したものがあればそれはつまり瘋癲病院《ふうてんびょういん》の文学であろう。

芸術家科学者はその芸術科学に対する愛着のあまりに深い結果としてしばしば互に共有な弱点をもっている。その一つはすなわち偏狭という事である。もちろん稀《まれ》には卑しい物質的の利害から起る事もないではあるまいが、それらは別問題として、科学者芸術家に多い病は、他を容《い》れる度量に乏しくて互に苦々しく相排することである。これも両者の心理に共通なもののある事を示す一例と見做《みな》される。畢竟《ひっきょう》偏狭狷疾《けんしつ》は執着の半面であるとすれば、これは芸術と科学の愛がいかに人の心の奥底に深く喰《く》い入る性質のものであるかを示すかもしれない。ちょっと考えると、少くも科学者の方は、学問の性質上きわめて博愛的で公平なものでありそうなのに事実は必しもそうでないのは謎理的《パラドクシカル》のようである。しかしよく考えてみると、科学者芸術家共に他の一面において本来一種の自己主義者たるべき素質を備えているべき者のようにも思われる。これは惜しむべきことであるかもしれないが、あるいは止みがたい自然の現象であるかもしれない。一面から見れば両者が往々この弱点を暴露してそれがために生ずる結果の利害を顧慮する暇がないという事が少くとも両者に共通な真剣な熱情を表明するのであるかもしれない。

科学者と芸術家が別々の世界に働いていて、互に無頓着《むとんちゃく》であろうが、あるいは互に相反目したとしたところが、それは別にたいした事でもないかもしれない。科学と芸術それぞれの発展に積極的な障害はあるまい。しかしこの二つの世界を離れた第三者の立場から見れば、この二つの階級は存外に近い肉親の間柄であるように思われてくるのである。

（大正四年十月）

方則について

科学の方則は物質界における複雑な事象の中に認められる普遍的な連絡を簡単な言葉で総括したものである。事実の言い表わしであって権利も義務も訓戒も含まれていない。しかし今ここで方則の定義や法律と方則との区別などを喋々《ちょうちょう》しようとは思わぬ。ただかくのごとき方則というものがいかにして可能であるかという事に関して浅薄ながら半面観を試みたい。

方則が可能であるためには宇宙の均等という事が必要である。時と空間に対して不変な事実が認め得られる事が必要である。かくのごとき事実が吾人《ごじん》に認め得られるというのは不思議な事ではあるまいか。

華厳経《けごんきょう》に万物相関の理というのが説いてあるそうである。誠に宇宙は無限大でその中に包含する万象の数は無限である。しかしてこれらは互になんらかの交渉を有せぬものはない。風が吹いて桶屋が喜ぶという一場の戯談《じょうだん》もあながち無意義な事ではない。厳密に云えば孤立系（isolated system）などというものは一つの抽象にすぎないものである。例えば今一本のペンを床上に落せば地球の運動ひいては全太陽系全宇宙に影響するはずである。一本のマッチをすればその光は全宇宙に瀰漫《びまん》してその光圧は天体の運動に幾分の変化を生じなければならぬはずである。少くも吾人の科学に信拠すればそうなるはずである。また全天体の片隅で行われているあらゆる変化は必ず吾人の身辺にも幾分の影響を及ぼしているはずである。宇宙間無限の物象の影響を受けている身辺の現象についていかにして有限な言葉をもって何事かを云い表わす事ができるであろうか。いわんや無限無窮の空間と時とに通じて普遍的な方則などというものがいかにして可能であろうか。

　これは必しもパラドックスではない。

　数学の方で収斂級数《しゅうれんきゅうすう》というものがある。第一項に第二項を加えさらに第三第四と無限の項を附加えるとその総和は有限なものになる。例えば

$$1+\frac{1}{2^2}+\frac{1}{3^2}+\frac{1}{4^2}+\cdots\cdots \text{ad. inf.}$$

のごときものがある。数において無限なものが蓄積してもその結果は有限である。しかしかくのごとく収斂するためには逐次の各項の間に一定の条件が満足されなければならぬ。同じような級数でも、

$$1+\frac{1}{2}+\frac{1}{3}+\frac{1}{4}+\cdots\cdots\cdots\cdots \text{ad. inf.}$$

は無限大となる。

掌中のペンに働く力は種々ある。第一に重要なものは地球の全質量がこれに及ぼす重力である。すなわち普通にいわゆるペンの目方である。精《くわ》しく云えばこの中には身辺にある可動性の器物や人間や一切のものの引力も加わっていてこれらが動けばそれだけの影響はあるはずである。ただこれらの影響は地球全体に比べて小さい事も確実である。次には雰囲気の引力から起るものであるが、これは地面にある物に対しては大体において零となるはずである。次には月、太陽、諸遊星を始めあらゆる天体の引力も加わる。これらは質量が大なる代りに距離が遠いので影響はやはり小さいものである。例えば比較的最も著しい月の影響でも目方の変りは百万分の一を超えることはない。恒星はその数においてははなはだ多いが、その距離の莫大《ばくだい》なのみならずまたその引力の方向が区々《まちまち》であるために総和は幾何学的の和である。仮りに恒星の全質量が天球上に一様に分布されているとすれば総和は零となる。これに反して恒星が地球を通ずる一直線上に羅列していたらばどうであろうか。もし各個の質量が同一で間隔も同一ならばこれらの引力の総和はちょうど前に出した収斂級数で表わされしたがって有限なものになる。もしも重力が距離の自乗に反比例せずして距離自身に比例するのであったら結果は収斂しないのである。

もし物質間の引力が距離によらず同一であったり、あるいは距離の大なるほど大であったと仮定したら天地万物の運動はすべて人間には端倪《たんげい》する事のできぬ渾沌《こんとん》たるものになるであろう。いかなる強度の望遠鏡でも窺《うかが》う事のできぬような遠い天体の上に起る些《さ》細《さい》な出来事も直ちに地球上の物体に有限な影響を及ぼすとなれば人間の見た自然の運動にはおそらくなんらの方則を見出すこともできないだろう。否《いな》方則といえばただ偶然の方則が支配するばかりであって要するに科学は成立しそうもないのである。

上に述べたペンに働く力はこれに止らぬ。ペンに微量の荷電があれば、あるいは自身にはなくても他に荷電体があればその感応によって周囲の物との間に引斥力が起る。また地球磁場等の影響はこれに偶力《ぐうりょく》を及ぼす事になる。その磁場は諸天体にも感応し反対に諸天体の磁場もまたこれに影響する。仮りに周囲や天体の荷電や付磁がことごとく恒同で既知であっても事柄は複雑であるのにいわんやこれら相互の位置状態の変化から生ずる相互の影響を考えなければならぬとなればいよいよ面倒な事になってしまう。もしもこれらの影響が収斂級数を作らなかったなら果してどうであろうか。

ペンに働く力はまだこれに限らぬ。空気の浮力はかなりの影響がある。しかしてこれにはその室内の気温、気圧、湿度が直ちに関係する。また微弱な気流でもその落下の方向速度を変える事は明白である。しかるにこれらの温度や気流等はまた室内のみならず室外全宇宙の現象の影響を受けぬわけにはいかぬ。なおこのような影響を及ぼすものを列挙すれば巻を更《か》えても尽す事はできまい。

それならばペンの目方を指定しその落下の状況を予知するには単に緯度や高さや温度や気圧を知るのみならず全宇宙の現状を知悉《ちしつ》する事が必要であろうか。力学物理学の教科書を繙《ひもと》いてみるときわめて簡単な言葉で重力の方則や落体運動の方則が述べてある。吾人はこれらの方則に信頼して目方を比較し時計を使用して別に著しい不都合を感じない。これは不思議ではあるまいか。もしこれが何でもない事で分り切った事であったならば、世俗の人が科学を誤解し学者を唐変木《とうへんぼくし》視する気遣はさらにないはずである。

次にゼンマイ秤《ばかり》で物の目方を衡《はか》る場合を考えてみよう。不断に変化する宇宙全体が秤皿に影響してその総効果が収斂しなかったら一物の目方という定まった観念を得る事はできまい。これだけでも第一目方とか質量とか云う言葉は意味を失うに相違ない。がただそればかりでない。

前に挙げた例では歴史の影響という事があまり問題にならなかった。すなわち現在の状況が主として現在だけで定まる場合であった。しかしゼンマイ秤の場合にはもう一つ面倒な歴史という事が現われてくるので事柄はさらに紛糾の度を加えてくる。仮りに目方の方が不変であるとしてもこれを比較すべき弾条の弾性というものがなかなか厄介千万なものである。これは第一、温度によって変化する。これは主要な影響であるが、なお少し立ち入って考えるとこれは気圧にも湿度にもその他雑多の外界の状況によって変り得べきものと考えられる。また肝心の温度なるものがある度以上には正確に測れぬものである。もしも温度の影響が大きくその他の微細な雑多の影響が収斂しなかったらゼンマイ秤で目方を測るのは瓢簞《ひょうたん》で鯰《なまず》を捕える以上の難事であろう。今仮にさらに一歩を譲ってこれらの困難を切り抜けられるとして見ても、未だ弾性体に通有な「履歴の影響」という厄介な事が残っている。

履歴の影響とは何ぞや。定まった弾条に定まった重量を吊《つる》し、定まった温度その他の同時的条件を一切一様にしてもその長さは一定しないのである。すなわち過去において受けた取扱いかんによって種々の長さを与えるのである。一匁《もんめ》の分銅《ふんどう》を一分間吊した後と一時間あるいは一昼夜吊しておいた後とは幾分の差がある。またあらかじめ百匁を五分間吊した後十匁をかけたのと、一匁を同じく五分間吊した後同じ十匁を懸けたのとでも若干の相違がある。また温度を一旦《いったん》百度まで上げて十度に冷却したのと零度から十度まで温めたのとでも同じではない。かくのごとき履歴の影響は厳密に云えばいつまでも全くは消滅しないものと考えられる。百年前の取扱も些少《さしょう》ながらその印象を止めているはずである。それでただ現在の重量や温度その他の外界条件一切を羅列しても一条の弾条の長さは決定するものではない。弾条に限らずすべての弾性体の形状大小についても全く同様である。したがって一つの針金の長さなどという言葉自身がすでに無意味ではないまでも漠然たるものになりはしまいか。この曖昧《あいまい》さ加減を最も明かに吾人に示すのは綿糸の撚《よ》り糸である。一条の撚糸を与えられてその長さを精密に測ろうと企てた人はここに述べた困難を切実に味《あじわ》う事ができようと思う。約三尺の糸は測る度ごとに一分二分、時には寸余の相違を示すのである。それにもかかわらず三尺の糸といえば吾人の頭脳には一定の観念を与えるような気がして言葉咎《とが》めをされる虞はまずない。これは何故であろう。もしこれが分り切った事であれば、すべての世人は皆科学者でなければならない。

撚糸も針金もあらゆる弾性体否《いな》形状大小を備えた物体は皆同様である。もしも履歴の影響が時と共に速やかに漸進線的に収斂しなかったらどうであろうか。すべての物体は雲煙のごとくまた妖怪変化《へんげ》と類を同じうするだろう。

重量約一匁とか長さ約一寸といえば通例衡り方度《はか》り方の粗雑な事を意味する。丁度一匁とかキッチリ一寸など云えば大変に正確に聞えるが、精密とか粗雑とかいうのも結局は相対的の言葉である。人智の測り得る所いずれか粗雑ならざらんやである。丁度と云いキッチリというのも約というのも根本的の相違はない。一尺の竹の尺度を百本比較すれば百本ながら違っている。丁度一尺という長さは抽象であって現実にはない。一メートルの標準尺度の二つの目盛りの中心の間を単位とすれば一メートルの尺度はそれただ一つである。そして頼みに思うその唯一の長さは、実は前に煩《わずら》わしく述べたようなわけであまり一定なものではないのである。

ありがたい事には万物相関の影響は収斂級数で表わされ、履歴の影響は漸進的に消滅し、しかして人間の官能には限界が存している。それで一匁とか一尺とかいう言葉が通用して、1.0023でも1.0012でも一尺差である。天気がどんなでも一尺差はやはり一尺差であって、呉服商がいちいち寒暖計と相談する必要がない。物理学者が尺度の比較をする時には寒暖計をやかましく云っても、天王星やシリアスの位置を帳面につける必要はまだない。もしもそうでなかったらたとえ一メートルの標準尺度をカドミウム線の波長と比較しようとしても光の波長自身がどうして頼みになるであろう。測定という事が可能であり測定した量の間に幾分でも普遍な関係が見出され簡単な言葉で方則が述べ得られるのは畢竟《ひっきょう》孤立系というものが考えられるという事にもなる。また無限の項から成る級数の初めの数項以下を省略しても、吾人の官能上差別を感じないという事にもなる。あるいは自然界の現象が有限な項から成る方程式である程度まで代表され得るというのである。無限にあるべきはずの残余の項の効果が微小となるのは、あながち最初に出した簡単な級数のようになるというのではない。彼の級数は収斂の仕方の遅いものである。ここで云う残余の項は多くはもっと速やかに急に収斂するのである。また一つ忘れてならぬ事はこれらの微小な残余の項が多くはいわゆる偶然の方則に従って分布され、プラスとマイナスとが相消去するために結果が蓄積せぬ事である。一定の位置ならびに寒暖計の示す温度において測った金属棒の長さは不可測的の雑多な微細な原因のために種々異なる価を与えても多数の測定の平均はある程度まで一致すると考えられるのはやはりこの偶然の御蔭《おかげ》である。こういう風に考えれば長さという言葉の意味もほぼ定まってくる。

こういう風に考えてくると、方則というものの見方がいろいろあるように思われる。吾人がある有限な条件を限ってこれを指定し他の影響は全くないと仮定した場合の結果を云い表わすものとも云われる。これは簡単明瞭《めいりょう》であるが抽象的である。この考では方則を云い表わす方程式は初めから有限の独立変数を含む有限の項から成るものでである。しかし厳密に云えば、かくのごとき抽象的の状況は実現する事のできぬものである。もう一つの見方はこの方程式の後尾へそれ自身に小さくまた沢山の場合の平均が零に漸進するような無限級数を附加して考えるのである。平たく云えば、方則というものを一種の平均の近似的の云い表わしと考えるのである。そうすれば方則というものはよほど現実的な意味をもつようになってくる。このような区別ははなはだつまらぬ事のようであるが、自分はあながちそうとは思わない。

瓦斯《ガス》体《たい》の方則などは瓦斯を均質な連続体と見做《みな》す時は至極簡単な意味のものであるがこれが沢山な分子の集合体であると見做せばこれらの方則は複雑多様な関係の平均の云い表わしというはかには意味はなくなってしまう。電気のごときも近来量子的のものと考えられる以上は、例えば静電気分布に関する旧来の理論も畢竟一種の統計的の意味しかないようになってくる。光などでも単一な球面波のごときものは実現しがたいものであって、実際の光はやはり複雑多様な要素の集団であって光の強度というような概念も多くはただ平均的の意味をもつのみである。

しかし人間が超顕微鏡的の眼をもっていない以上は分子や電子を直接見る事ができない。それで多くの場合にはこのようなものを考えなくてかえって事柄は簡単に明瞭に処理されるのである。もし量子的の考を用いずしてすべての現象が矛盾なしに説明され得るのであったら、何を苦しんでことさらに複雑な統計的の理論を担出す必要があるであろうか。数学的の興味は十分にあるとしても自然科学とは交渉の少いものであろう。実際は幸か不幸かそうでない。化学的現象はもちろんの事、ブラウン運動等の研究はますます分子原子の実存を証するようになり、真空管や放射性物質の研究はどうしても電子の存在を必然とするようになってきた。人間が簡単を要求しても自然はそれには頓着しない。ただ複雑な変化の微小な事、またポアンカレーの謂《い》うごとく複雑さが十分複雑であるために「偶然の方則」が行われ、多くの場合には簡単な平均的の云い表わしを抽象的に考える事ができるのであろう。

それで方則の云い表わす言葉は不変でもその意味は場合によっていろいろに考えられるのである。これは方則の中に含まれた概念の変化であって、それが元来云い表わす当面の事実の変化ではない。ただこの概念の変化によって新しい事実の発見されるごとにいちいち新しい方則を捻出《ねんしゅつ》する事が避けられるのである。

一口に方則とは云うものの物理の方則でもいろいろの種類がある。フックの方則、ボイルの方則などのように適用の範囲の明白に限定されているものもあり、重力の方則、クーロンの方則のごときよほど普遍的なものもある。近似的の方則をどこまでも適用せんとして失敗し、「理論と実際の齟齬《そご》」という標語を真向にかざして学者を毛嫌する世人の少くないのは、これらの方則の近似的な事を忘れているためである場合もある。それは別問題として、厳密な意味において普遍的な正確な方則が可能であろうか。方則というものの成り立ちが前に述べたようなものであってみれば、すべての方則は近似的のものと云わなければなるまい。少くとも近似的でないという証拠はないようである。重力の方則は海王星の軌道以内には適用されるが、固体分子間の距離においても同様であろうか。この距離においては吾人は種々の場合に別の方則に従う凝集力を考えたくなる。この凝集力と重力とはいかなる関係があるだろうか。荷電導体内部における電場の零なる事からクーロンの方則の厳密な事を証するが常であるが、吾人の実験し得る導体の大さに制限のある事を忘れてはなるまい。この方則が電子間の距離まで適用されるだろうか。銀河の近辺までも同様であろうか。これに対する確答はまだない。

これらの引斥力が自乗反比例という簡単な言葉で表わされるのは驚くべき事であるというよりは、むしろかくのごとく簡単に云い表わし得る言葉があるのが驚くべき事だとピアソンは云っている。しかしあるいはこれらの力の方則を表わすべき数式の第一項に対して、第二項以下の小さい事に驚くと云わねばならぬ事になりはしまいか。少くともそういうふうに考える方が自然科学者の今日の立場としてむしろ妥当ではあるまいか。しかしこの疑問以上に立ち入る事は科学者の領域以外に踏み出すと思う。

こんな事を書いて公にしようというについて、一つ考えなければならぬ事がある。すなわちかくのごとき漠然たる議論を並べた結果、一部の読者には誤解を生じ、また一部の学者からは独断の邪説として攻撃される虞《おそれ》がはなはだ少くないように思う。ある読者はますますあるいは始めていわゆる精密科学の基礎の案外薄弱な事を考えて、その価値と効果を疑うかもしれない。しかし自分がここまで述べてきた事は正にこの点について疑を解かんがためである。この疑に対しては今まで述べた事をもう一遍繰返すほかはない。そしてかくのごとき基礎の上に立った学問の効果は眼前の科学的文化である事を附加えたい。次に学者の方から見れば、重力の方則等までも近似的と見做したりするような考は幾多の非難があるかもしれない。実際こういうような考はある意味においてははなはだ危険である。往々考が形而上的に走り、罷《まか》り違えば誇大妄想狂となんら選むところのないような夢幻的の思索に陥って、いつの間にか科学の領域を逸する虞がある。この意味の危険を避けるために、どこまでも科学の立脚地たる経験的事実を見失わぬようにしなければならない。論理の糸を手繰《たぐ》って闇黒《あんこく》な想像の迷路を彷徨《ほうこう》している中にどこかで新しい出口を見付け、そこで事実の日光にまともに出くわすまでは何事も主張する権利はない事を心得ていなければならない。しかし懐疑と想像とは科学の進歩に必要な衝動刺戟である。疑いかつ想像をめぐらす前に、まず現在の知識の限界を窮《きわ》めなければならぬ事はもちろんである。現在、科学の極限を見極めずして徒《いたず》らに奇説を弄《ろう》するは白昼提灯《ちょうちん》を照らして街頭に叱呼《しっこ》する盲者の亜類である。方則を疑う前にはまずこれを熟知し適用の限界を窮めなければならぬ。その上で疑う事はやむを得ない。疑って活路を求めるには想像の翼を鼓するの外はないのであろう。

現在の科学の基礎方則を疑うのは危険であっても、社会主義が国家主義に危険であったり青年の思潮が老人に危険であるのとは趣を異にする。この説明は歴史がしてくれるのである。プトレミー派の学者は地球を不動と考えて、太陽はもちろんその他の遊星も皆その周囲を運行するものと考えた。後にコペルニカスの地動説が出て前説よりも遥《はるか》に簡単に天体の運動を説明し得る事が分り、ケプレル、ニュートンを経ていよいよ簡単な運動の方則で天体の諸現象を述べ尽す事ができた。しかし今日ではある簡単な問題を考える場合には依然としてプトレミーの考を使用して怪しまない。またニュートンの力学の基礎は輓近《ばんきん》相対原理の発展につれてぐらついてきたには相違ない。しかしこの原理の研究が何程進んでも、ニュートンの力学が廃滅に帰するというわけではあるまい。日常普通の問題にこれを応用して少しも不都合はないはずである。精巧な測器が具備している今日でも、場合によって科学者が指や歩数をもって長さを測る事を恥としない。それで科学の方則がいかに変っても、人間社会の幸福は損われぬのみならず増すばかりである。科学がこれによって進歩する事は申すまでもない。

これに聯関して起る問題は科学の基礎や方法に関する事柄を初学者に吹き込む事の可否である。中学校で物理学を教える場合に、方則の成立や意義や弱点を暗示するのはかえって迷いを生じ誤解を起すという説もある。自分は教育家でないが、ただ自分一己の経験から推して考えれば、すでに初学の時代にこの種の暗示を与える方がかえって理解と興味を助長し研究的批評的の精神を鼓吹《こすい》するではないかと思う。実際、物理学教科書にある方則と寄宿舎の規則との区別を自覚している生徒がどれだけあるか疑わしい。方則が日常身辺に行われている現象といかなる交渉があるかも呑込《のみこ》むのは容易でないように見える。今これらの事柄を生徒に教えようとすればいかに教うべきかという事が困難な問題である。しかし中学校ではすでに倫理道徳などという事すら教えているではないか。生徒の老成後の倫理道徳観が中学校で教わった所といかほど懸隔しても仕方がない。やはり中学校の倫理は無益ではない。自分は科学というものの方法や価値や限界などを多少でも暗示する事がかえって百千の事実方則を暗記させるより有益だと信じたい。そうすれば今日ほど世人が科学の真面目《しんめんぼく》を誤解するような虞が少くなり、また一方では科学的の研究心をもった人物を養成するに効果がありはしないかと考えるのである。

（大正四年十月）

時の観念とエントロピーならびにプロバビリティ

時の観念に関しては、哲学者の側でいろいろ昔からむつかしい議論があったようである。自分はそれらの諸説について詳しく調べてみる機会を得ないが、簡単な言葉でしかもそれ自身すでに時の概念を含んでいないような言葉で「時」に定義を下そうというような企てはたいてい失敗に帰しているようである。「一様に流れる量」であるとか、「逸しつつある拡がり」だとかいうのは、もちろん時の定義でもなければ説明とも思われぬ。Si non rogas intelligo というほうが至当のようである。時の前後の観念はとにかく直感的なものであって、なんらかの自然現象に関して方則を仮定する事なしに定義を下しうべき性質のものではないと思われる。

吾人《ごじん》が外界の事象を理解し系統化するための道具として、いわゆる認識の形式の一つとして「時」を見做《みな》す事には多くの科学者も異論はないであろうが、それだけでは「時」の観念の内容については何事も説明されない。近ごろベルグソンが出てきて、カントや科学者の考えた「時」というものは「空間化された時」であって「純な時」というものがほかにあると考え、彼のいわゆる形而上学《けいじじょう》の重要な出発点の一つとしているようである。それらの議論はむつかしすぎて自分には呑込《のみこ》めないが、とにかく我々が力学や物理学で普通に用いる時の概念は空間の概念を拡張したものだという事は疑《うたがい》もない事である。力学はつまり幾何学の拡張である。空間座標のほかに時を入れれば運動学が成立し、これに質量を入れて経験の結果を導入すれば力学ができる。これらの数学的の式における時間 t が空間 x y z とほとんど同様に取扱われうる事はミンコフスキーの四元空間 Welt の構成されるのを見ても分る事である。

このように時を空間化して取扱ったために得られる便利は多大なものであるが、しかし人間の直感する「時」の全部は t の符号に含まれていない。

ニュートンの考えたような、現象に無関係な「絶対的の時」はマッハによって批評されたのみならず、晩近《ばんきん》相対性原理の研究と共にさらに多くの変更を余儀なくされた。この原理の発展以来「時」の観念はよほど進化してきたが、それはやはり幾何学の「時」の範囲内での進歩である。

吾人の直感する「時」の観念に随伴してくる重大な要素は「不可逆」と云うことである。この要点は時を空間化するために往々閑却されるものである。空間の前後は観者の位置を更《か》えれば逆になるが、時間は一方にのみ向って流れている。抽象的な数学から現実の自然界に移ってその現象を記載しようとする時には空間化された時だけでは用の弁じない場合が起る。それはいわゆる不可逆現象の存在するため、熱力学第二方則の成立しているためである。

この方則の設立、エントロピーの概念の導入という事が物理学の発達史上でいかに重大なものであったかという事は種々の方面から論ずる事ができようが、ここで述べたいと思うのは、空間化された「時」だけでは取扱う事のできぬ現象を記載するために最も便利な「時」の代用物を見出《みいだ》した事である。

もし仮に宇宙間にただ一つ、摩擦のない振子があって、これを不老不死の仙人が見ている、そして根気よく振動を数えているとすればどうであろう。この仙人にとっては「時」の観念に相当するものはただ一つの輪のようなものであって、振動を数える数は一でも二でも一万でもことごとく異語同義《シノニム》に過ぎまい。よしやそれほど簡単な場合でなくとも、有限な個体の間に有限な関係があるだけの宇宙ならば、万象はいつかは昔時の状態そのままに復帰して、少くも吾人のいわゆる物理的世界が若返る事は可能である。このような世界の「時」では、未来の果は過去に継《つな》がってしまうかもしれぬ。

吾人の宇宙を不可逆と感じる事は、「時」を不可逆と感ずる事である。全エントロピーは時と共に増すとも減ずる事はないというのが事実であるとすれば、逆にエントロピーをもって「時」を代表させる事はできないであろうか。普通の「時」とエントロピーとの歩調がいかに一様でないとしても、そこに一つの新らしい「時」の観念が成立しうるのではあるまいか。

エントロピーの概念自身には「時」が含まれなくてもよい。これが時と関聯《かんれん》してくるのは自然の経験の結果である。我々の普通日常用いる時計の針の廻《まわ》る角度がたまま時の代用となるのもやはり自然の経験にほかならぬ。少くもこの点においては時計の「時」とエントロピーの「時」とは対等のものである。

今もしここに宇宙のエントロピーの量を指示する時計があると想像する。この時計の示す時刻は何を示すかといえば、それは宇宙の老衰の程度を示すものである。エネルギーの全量は不変でも、それはこの時計の進むにつれて墜落し廃頽《はいたい》していく。この時計ほど適切に不可逆な時の進みを示すものはないのであろう。しかし実際このような時計があったとしても、それが吾人の日常普通の目的に適当したものではないかもしれぬ。第一に種々の個体の集団からできた一つの系を考える時、その個体各個のエントロピーの時計の歩調は必しも系全体のものの歩調と一致しない。したがって個体相互の間で「同時」という事がよほど複雑な非常識的なものになってしまう。しかしそこにまたこの時計の妙味もあるのである。譬喩《ひゆ》を引けば浦島太郎が竜宮の一年はこの世界の十年に当るというような空想や、五十年の人生を刹那（せつな）に縮めて嘗（な）め尽すというような言葉の意味を、つまり「このエントロピーの時計で測った時の経過と普通の時計と比べて一年と十年また五十年と一瞬とに当る」と説明すればよいかもしれぬ。これはただ通俗的な譬喩に過ぎないが、とにかく心理的に感ずる時の長短が人間自身ならびに周囲の物質的エントロピーの増加の多少と、幾分か相応じるように見えるのは興味のある事である。冬眠の状態にある蛙《かえる》が半年の間に増大させるエントロピーの量は、覚醒《かくせい》期間のそれに比べて著しく少いに相違ない。

次にエントロピーは一つの系全体にわたる積分として与えらるる性質のものであって、それが指定されても系を組織する各個体の現状は指定されない。これはこの時計の不便な点であって同時に優れた点である。瓦斯体《ガスたい》の分子やエレクトロンの集団あるいは光束の集合場において各個部分の状態を論ぜんとしても普通の「時」を使う力学は役に立たなくなる場合がある。そういう場合にこのエントロピーのありがたみが始めて明白になってくるのである。

かように、エントロピーの役に立つ場合には、必ずそこにいわゆる「分子的に混乱した (molekular ungeordnet) 系」がある。分子やエレクトロンの数が有限である間はエントロピーは問題にならず、変化は単義的で可逆であるが、これが無限になって力学が無能となる時に、始めてエントロピーが出てくる。ボルツマンがこのような混乱系の内部の排置の公算《プロバビリティ》をエントロピーと結び付けたのは非常な卓見で物理学史上の大偉業であった。プランクはさらにこれを無限な光束の集団に拡張して有名な輻射《ふくしゃ》の方則を得たのは第二の進歩であった。すなわち系の複雑さが完全に複雑になれば統計という事が成り立ち、公算というものが数量的に確定したものになる。そして系の変化はその状態の公算の大なる方へ大なる方へと進むという事が、すなわちエントロピーの増大という事と同義になるのである。

「時」の不可逆という事にもまた分子的混乱系の存在が随伴している。前に挙げたような、仙人と振子とだけの簡単な世界では、可逆な「時」が可能であるが、吾人の宇宙はある意味で分子的混乱系である。ある学者の考えているように森羅万象《しんらばんしょう》をことごとく有限な方程式に盛って、あらゆる抽象前提なしに現象を確実に予言することは不可能であって、そのゆえにこそ公算論の成立する余地が存している。そのために吾人の「時」には不可逆の観念が伴ってくる。そのために未来と過去の差別が生じるのではあるまいか。未来に関して吾人の云いうる事は系の公算の増すという事だけではあるまいか。未来は「であろう」ですなわちプロバビリティのみである。この宇宙系のプロバビリティの流れはすなわちエントロピーの流れで、すなわち吾人の直感する不可逆な時の流れではあるまいか。

エントロピーに随伴してくる観念は「温度」である。例えば簡単な完全瓦斯体の系では容積を保定しておけば、エネルギーの増す時にそのエントロピーの増加は「温度」に反比する。前のような通俗的の譬《たとえ》を引けば、人間のエントロピーの増大と「精神的の時」の進みが伴うと仮定すれば、また一定の物理的エネルギーを与えられた時にその人の「時」の進み方はその人の感覚の鋭鈍によるものと仮定すれば、この場合の「温度」に相当するものは、すなわちその鋭鈍を計る尺度の読取に当るものである。もっともこれはただ譬喩にすぎない。物理学上の言葉の濫用かもしれぬ。しかし真面目な物理学上の事柄でエントロピーや温度の考を拡張していく余地は十分にあるように思われる。すなわちどこでも molekular ungeordnet の状態が入り込んでくる所には、これらの観念の幅を利かす余地がある。例えば液体の運動でもいわゆる混乱運動(turbulent motion)を論ずる時にはオスボルン・レーノルズが行ったような特殊な取扱が必要になってくる。ここにも、エントロピーや温度の観念の拡張さるべき余地があるのではあるまいか。これに類した問題は液体の交流に関するものである。

現今物理学の研究問題は、分子、原子、エレクトロン、エネルギー素量となって、到るところに混乱系が跳梁《ちょうりょう》している。プロバビリティの問題、エントロピーの時計の用途は存外に広いという事を想い出すに恰好《かっこう》な時機ではあるまいか。

時。エントロピー。プロバビリティ。この三つは三つ巴《どもえ》のように継がった謎の三位《さんみ》一体《いったい》である。この謎の解かれる未来は予期しがたいが、これを解かんと勉めるのもあながち無駄な事ではあるまい。

（大正六年一月）

物理学と感覚

人間がその周囲の自然界の事物に対する知識経験の基になる材料は、いずれも直接間接に吾人の五感を通じて供給されるものである。生れつき盲目で視神経の能力を欠いだ人間には色という言葉はなんらの意味をもたない、物体の性質から色という観念を抽《ぬ》き出して考える事がどうしてもできない。トルストイのお伽噺《とぎばなし》に牛乳の白色という観念を盲者に理解させようとして無駄骨折《むだぼねおり》をする話がある。雪のようだと云えばそんなに冷たいかと応《こた》え白兎のようだと云えばそんなに毛深い柔《やわら》かいのかと聞きかえした。

それでもし生れつき盲目でその上に聾な人間があったら、その人の世界はただ触覚、嗅覚《きゅうかく》、味覚ならびに自分の筋肉の運動に聯関《れんかん》して生ずる感覚のみの世界であって、吾々《われわれ》普通な人間の時間や空間や物質に対する観念とはよほど異った観念をもっているに相違ない。もし世界じゅうの人間が残らず盲目で聾唖《ろうあ》であったらどうであろうか。このような触覚ばかりの世界でもこのような人間には一種の知識経験が成立しそれがだんだんに発達し系統が立ってそして一種の物理的科学が成立しうる事は疑ない事であろう。しかしその物理学の内容はちょっと吾人の想像しがたいようなものに相違ない。例えば吾人の時間に対する観念の源でも実は吾人の視覚に負うところがはなはだ多い。日月星辰《じつげつせいしん》の運行昼夜の区別とかいうものが視覚の欠けた人間には到底時間の経過を感じさせる材料にはなるまい。それでも寒暑の往来によって昼夜季節の変化を知る事はある程度まできる。振子のごとき週期的の運動に対する触感と自分の脈搏《みゃくはく》とを比較して振動の等時性というような事を考え時計を組立てる事は可能であるかもしれぬ。しかし自分の手足の届くだけの狭い空間以外の世界に起っている現象を自分の時計に頼って観測する事はよほど困難である。このような人には時や空間はただ自分の周囲、例えば方六尺の内に限られた、そして自分と一緒に附随して歩いていくもののようにしか考えられぬのかもしれぬ。この人にとっては自分の触覚と肉感があらゆる実在で、自分の存在に無関係な外界の実在を仮定する事は吾々ほど容易でないかもしれない。象と盲者の譬話は実によくこの点に触れている。

これはただ極端な一例を挙げたにすぎないが、この仮想的の人間の世界と吾人の世界とを比較しても分るように、吾人のいわゆる世界の事物は、吾々と同様な人間の見た事物であって、それがその事物の全体であるかどうか少しも分らぬ。

哲学者の中には吾々が普通外界の事物と称するものの客観的の実在を疑う者が多数あるようであるが、吾々科学者としてはそこまでは疑わない事にする。世界の人間が全滅しても天然の事象はそのままに存在すると仮定する。これがすべての物理的科学の基礎となる第一の出発点であるからである。この意味ですべての科学者は幼稚《ナイヴ》な実在派《リアリスト》である。科学者でも外界の実在を疑おうと思えば疑われぬ事はないが多くの物理学者の立場は、これを疑うよりは、一種の公理として仮定し承認してしまう方がいわゆる科学を成立させる筋道が簡単になる。元来何物かの仮定なしに学が成立しがたいものとすればここに第一の仮定を置くのが便宜であるというまでである。絶対とか窮極の真理とかというものの存在を信じてそれを得ようと努力する人はこの点で第一に科学というものに失望しなければならない。科学者はなんらの弁証なしに吾人と独立な外界の存在を仮定してしまう。ただし必しもこれを信じる必要はない、科学者が個人としてこれ以上の点に立入って考える事は少しも差支えはないが、ただその人の科学者としての仕事はこれを仮定した上で始まるのである。もっともマッハのごときは感覚以外に実在はないと論じているが、彼れのいわゆる感覚の世界は普通吾人のいう外界の別名と考えればここに述べるところとはあえて矛盾しない。

外界の事物の存在を吾人が感ずるのは前述べたとおり直接間接に吾人の五感の助けによるものである。これらの官能が刺戟《しげき》されたために生ずる箇々の知覚が記憶によって連絡されるとこれが一つの経験になる。このような経験が幾回も幾回も繰返されている間にそこに漠然《ばくぜん》とした知識が生じてくる。この原始的な知識がさらに経験によってだんだんに吟味され取捨されて個人的一時的からだんだんに普遍的なものに進化してくるとこれが科学の基礎となる事実というものになるのである。

しかるにあらゆる経験の第一の源となる人間の五感がどれほど鋭敏でまた確実であるかという事はぜひとも考えてみなければならぬ。

人間の肉眼が細かいものを判別しうる範囲はおおよそどれくらいかというと、まず一ミリの数十分の一以上のものである、最強度な顕微鏡の力を借りてその数千分の一以下に下げる事はできぬ（もっとも細かいものの見える見えぬはその物の光度と周囲の光度との差によりまた大きさよりはむしろ視角によるが）。そしてその物から来る光の波長が一ミリの二千分の一ないし三千分の一ぐらいの範囲内にあるのでなければ、もはや網膜に光の感じを起させる事ができない。波長がこの範囲にあってもその搬《はこ》ぶエネルギーが一定の限度以上でなければ感じる事ができない。なお厄介な事にはいわゆる光学的錯覚というものがある。周囲の状況で直線が曲って見えたり、色が異って見えたりする。もう一つ立入って考えれば甲の感じる赤色と乙の感じる赤色とはどれだけ一致しているものか不確である。

音についても同様な限界がある、振動数二、三十以下あるいは一、二万以上の音波はもはや音として聞く事はできぬ。振幅が一定の限度以下でも同様である。また振動数の少しぐらい異った音の高低の区別は到底分らぬものである。冷熱の感触感によって温度や重量の判断をする場合にも一層不確かなものである。寒覚はその当人の状態にもよりまた温度以外にその物体の伝導度にもよるのである。寒暖計の示度によらないで冷温を云う場合にはその人によってまるでちがった判定を下す事になる。これでは普遍的の事実というものは成り立たぬ。また甲乙二物体の温度の差でも触覚で区別できる差は寒暖計で区別できる差よりは遥《はるか》に大きい。次に物体の重量の感覚でも同様で、十匁《もんめ》のものと十一匁のものとの差はなかなか分るものではない。

このように外界の存在を認めその現象を直接に感ずるのは吾人の感官によるほかはないのにその感官が頗《すこぶ》る粗雑なものであってしかも人々箇々に一致せぬものである。それで各人が自分の感覚のみを頼って互に矛盾した事を主張し合っている間は普遍的すなわち誰れにも通用のできる事実は成り立たぬ、すなわち科学は成り立ち得ぬのである。

それで物質界に関する普遍的な知識を成立させるには第一に吾人の直接の感覚すなわち主観的の標準を一旦《いったん》放棄して自分以外の物質界自身に標準を移す必要がある。これが現代物理的科学に漲《みなぎ》りわたっている非人間的自然観の根元である。

このように外界を標準として外界を判断する事は何も物理学者を俟《ま》たない、誰れでも日常知らず知らずに行っている事である。ある生れつき盲目の人が生長後手術を受けて眼瞼《まぶた》を切開し、始めて浮世の光を見た時に、眼界にある物象はすべて自分の眼の表面に糊着《こちゃく》したものとしか思えなかったそうである。こういう無経験な純粋な感覚のみにたよれば一間前にある一尺の棒と十間の距離にある同様な棒とは全く別物としか見えないに相違ない。仰《あおむ》向けた茶碗《ちゃわん》と俯《うつむ》向けた同じ茶碗とが同一物である事を自得するまでにはかなりな経験を重ねなければならぬ。吾人普通の感官を備えた人間がこのような相違に気のつかぬのは遺伝や永い間の経験によって、外界の標準を外界に置いて非常に複雑な修練と無意識的の推理を経てきた結果にほかならぬのであろう。

吾人の理性に訴えて描き出す幾何的の空間、到る処均等で等向的な性質を備えた空間は吾人の視感に直接訴える空間とは恐ろしく懸け離れたものである。視感的空間では仰向きの茶碗と俯向きの茶碗、一里を距《へだ》てた山と脚下の山とはあまりに相違したものである。紙面に画いた四角でもその傾き方で全く別な感覚を起してもよいはずである。しかるにこのような相違を怪しまず当然としているのは、吾人が主観を離れた幾何学的の空間という標準を無意識あるいは有意識的にもっているためである。

同様な事は聴官についてもある。雷鳴の音の波の振幅は多くの場合に耳の近くで雨戸を繰る音に比べて大きなものではないのに雷の音は著しく大きいと考えるのはやはり直接の感官を無視して音響の強度の距離と共に減ずる物理的方則を標準としているのである。

このような事は別に取り立てて云うほどでないかもしれぬが、しかしこの主観を無視する程度は人間の文明の程度によってだんだんに変化してくるものである。絵画に陰影を施しあるいは透視画法を用いる事はある国民には普通であるのに他の国民には容易に了解ができないのもその根元は直接感覚によるのと、感覚を離れた観念によるとの差と考える事もできるので、少くもこの点だけにおいては未開人種や子供の描く観念的な画は泰西名匠の絵画よりもある意味で科学的であると謂《い》わねばならない。ただしその概念が人々随意に異なり普遍的でない事は争われぬ。

以上の程度までは物理学者も素人《しろうと》もあまり変りはないようであるが、物理学者と素人と異なるところは普通人間にも存するこのような感覚をはなれた見方をどこまでも徹底させていく点にある。物理学発達の初期には物理学者の見方はまだそれほど世人と離れていなかった。例えば音響というような現象でも昔は全く人間の聴官に訴える感覚的の音を考えていたのが、だんだんに物体の振動ならびにそのために起る気波という客観的なものを考えるようになり「聞えぬ音」というような珍奇な言葉が生じてきた。今日純粋物理学の立場から云えば感覚に関した音という概念はもはや消滅したわけであるが因習の惰性で今日でも音響学という名前が物理学の中に存している。今日ではむしろ弾性体振動学とでもいうべきであろう（生理的音響学は別として）。光の感覚でも同様である。光覚に関する問題は生理学の領分に譲って物理学では非人間的な電磁波を考えるのみである。熱の輻射《ふくしゃ》も無線電信の電波も一つの連続系の部分になってしまって光という言葉の無意味なために今では輻射線という言葉に蹴落《けお》とされてしまったのである。

今日のように非人間的に徹底したように見える物理学でも未《ま》だ徹底しない分子を捜せばいくらでも残っている。例えば力という観念でも非人間的傾向を徹底させる立場から云えばなんらの具体的のものではなく、ただ「物質に加速度が生じた」という事を、これに「力が働いた」という言葉で象徴的に云いかえるに過ぎないが、普通この言葉が用いられる場合には何かそこに具体的な「力」というものがあるように了解されている。これは人間として止みがたい傾向でまたそう考えるのが便宜である。また他の例をとれば物理学でも右左という言葉を用いる、しかしこれも人間というものから割り出した区別で空間自身には右もなければ左もあるはずはない。もしどこまでも非人間的な態度でいけば物理学の書籍からこのような言葉を除去しなければならぬはずであるが、実際は平気でこれを使用している、この一事でも非人間主義の物理学が人間の便宜のために膝《ひざ》を屈している事は分るだろう。

ある人は著者に物理学の教科書を幾何学教科書のような画一的なものにしたいものであると云ったが、自分はそれはむつかしかろうと考える。数学のように最初全く任意に（もっとも経験から暗示されるものではあるが）一つの概念を与えあとは解析ばかりでその内容を展開するのと、物理学で自己以外の実在として与えられた外界の現象を系統立てるのとはよほど趣がちがわなければなるまい。例えば一つの自動車を作ってその機械の自己の作用で向う処にどこまでも向わせる場合には便宜とか選択の問題は起らぬ、車は行く処にしか行かぬのであるが、これが解析的な数学の行き方とすれば物理学のはそうでない。このような自動車のハンドルを握って四通八達の街頭に立っているようなものである。同じ目的地に達するのでも道筋の取り方は必しも一定していない。そこで径路の選択という問題が起り、この選択の標準とするものはつまり人間の便宜である、思想の節約である。この際もし車掌がある一つの主義を偏執して例えば大通りばかりを選ぶとするとそれを徹底させるためには時には大変な迂路《うろ》をとらねばならぬような事があるだろう。ただ一筋の系統によって一糸乱れぬ物理学の系統を立てようという希望は決して悪くはないが、人間の便宜という点から考えるとそれはむしろ不便である。大通りが縦横に交叉《こうさ》してその間にはまた多数の「抜け裏」のあるような、そういう複雑な系統として保存し発達さるべきものではないかと考える。

近年プランクなどは従来勢力のあったマッハ一派の感覚即実在論に反対して、科学上の実在は人間の作った便宜的相対的のものでなくもっと絶対的な「方則」の系統から成立した実在であると考え、いわゆる世界像の統一という事を論じている。しかし退いて考えるとあるいはこれはあまり早まりすぎた考えではなかろうかと疑わざるを得ない。プランクは物理学を人間の感覚から解放するという勇ましい喊声《かんせい》の主唱者であるが、一方から考えると人間の感覚を無視すると称しながら、畢竟《ひっきょう》は感覚から出発して設立した科学の方則にあまり信用を置きすぎるのではあるまいか。もし現在の科学の所得は、すでに科学の究極的に獲得しうるすべての大部分であると考え、吾人の残務はただそこかしこの小さい穴を繕うにすぎぬと考えればプランクの説はもっともと思われる。しかしそう考えるだけの確かな根拠があるかどうか自分には疑わしい。物理学の範囲内だけでも近ごろ勢力を得てきた量子説が古典的な物理学と矛盾していて、まだどうしてもその間の融和がとれないところを見てもプランクの望むような統一はまだ急に達せられそうもない。

今のところでは生物界の現象に関しては物理学はたいてい無能である。レーブのごとき一派の学者が熱心に努力しているにもかかわらず今のところ到底目鼻もつかぬようである。生物現象がすべて現在の物理学で説明できようとは思われぬが、しかしプランクが無生物質界の方則の統一を理想とするならば、もう一歩を進めて物理生理あるいは心理学までも包括して渾然《こんぜん》たる一つの「理学」という系統がいつかは設立されるという理想を懐《いだ》く事もできない事ではない。それがもしも可能であるとすればそうなるまでには今の物理学はまだまだよほど根本的な改革を受けなければなるまいと思う。

このような考からも自分はマッハの説により多く共鳴する者である。すなわち吾人に直接に与えられる実在はすなわち吾人の感覚である、いわゆる外界と自身の身体と精神との間に起る現象である。このような単純な感覚が記憶や聯想によって結合されて経験になる。これらの経験を綜合《そうごう》して知識とし知識を綜合して方則を作るまでには種々な抽象的概念を構成しそれを道具立てとして科学を組み立てていくものである。この道具になる概念は必しも先験的な必然的なものでなくてもよい。以上のごとく科学を組み立て、知識の整理をするに最も便利なものを選べばよいのである。その便不便は人間の便不便である、すなわち思考の節約という事が選択の標準になるのである。

選択という言語は多くは眼前に種々の可能が排列されている時に用いられるものである。実際科学上の概念にそのような選択の余地があるであろうか、これは大切な問題である。自分は現在の物理学の概念をことごとく改造して従来よりも一層思考の経済上有利な体系ができうるかどうか到底想像する事はできないが、しかし少くも物理学の従来の歴史から見て、斯学《しがく》の発展と共に種々の概念が改造されあるいは新たに構成されまた改造されてきた事は事実である。光や音の観念の変化は前にも述べたとおりである。温度の観念でも昔の触感によった時代から特殊物質の膨脹によった時代を経て今日の熱力学的の絶対温度に到着するまでの径路を通覧すれば、ある時代に夢想だもできぬような考が将来に起りうる事は明らかである。もっと新しい例をとれば質量に関する観念がある。質量は物体に含まるる実体の量だというように考えたは昔の事で、後にむしろ力の概念が先になって、物体に力が働いた時に受ける加速度を定める係数というふうに解釈した実証論者もある。電子説が勢いを得てからは運動せる電気がすなわち質量と考えてすべての質量を電気的に解釈しようとした。さらに相対性原理の結果としてすべてのエネルギーは質量を有すると同等な作用を示すところから、逆にすべての物質はすなわちエネルギーであると考えようという試みもあるくらいである。

原子内部に関する研究に古典的力学を応用しようとして失敗を重ねた結果は大胆な素量説の提出を促した。今日のところなかなか両者の調停はできそうもない。しかしあらゆる方則は元来経験的なもので前世の約束事でもなんでもない事を思い出せば素量仮説が確立した方則となりえぬという道理もない。もし素量説が勝利を占めて旧物理学との間の橋渡しができればどうであろうか。おそらくそのために従来の物理学がことごとく駄目になるような事はあるまいが、従来用いられた諸概念に少からぬ変動が来るであろうと予想するのは至当であるまいか。

少くも吾らは従来経験的事実の要求に応じて、物理学的概念の内容にたびたび改革あるいは修繕を施してきた。これらの経験的事実の集まり方はそれまでの歴史に無関係ではない。甲の事実は、乙丙の事実の発見を促す。しかして乙が先に発見されるか丙が先に発見されるかによってその次に来る丙丁の事実の解釈を異にする場合は可能ではあるまいか。それはどうでもよいとして、一つ極端な想像をして見れば自分の今云わんとしている事を説明する事ができよう。すなわち仮りにここに微小な人間があって物質分子の間に立交り原子内のエレクトロンの運動を目睹《もくと》しているがその視力は分子距離以外に及ばぬと想像する。このような人間の力学が吾人のと同様であれば吾人の原子的現象の説明は比較的容易であろうが、実際素量説などの今日勢を得てきたことから考えても原子距離における引斥力の方則をニュートンやクーロンの方則と同じものとは考えがたい。そうすればこの原子的人間の物理の方則は吾人の方則とよほど違った発展をするに相違ない。

前に選択といったのは必しも吾人にとって選択の多様なという意味ではない。ただ人間という特別なものの便宜を標準として選択するという意味である。それでこう云う意味で現在の物理学は慥《たしか》に人工的な造営物であってその発展の順序にも常に人間の要求や歴史が影響する事は争われぬ事実である。

物理学を感覚に無関係にするという事はおそらく単に一つの見方を現わす見掛けの意味であろう。この簡単な言葉に迷わされて感覚というものの基礎的の意義効用を忘れるのはむしろ極端な人間中心主義でかえって自然を蔑視《べっし》したものとも云われるのである。

（大正六年十一月）

物理学実験の教授について

理化学の進歩が国運の発展に緊要であるという事は永い間一部分の識者によって唱えられていたが、時機の熟せなかったため一向に世間には顧みられなかった。欧洲《おうしゅう》の大戦が爆発して以来はかえって世間一般特に実業者の側で痛切にこの必要を感ずるようになったと見え、公私各種の理化学的研究所が続々設立されるようになった。それと同時に文部省でも特に中等教育における理化学教授に重きをおかれるようになって、単に教科書の講義を授くるのみならず、生徒自身に各種の実験を行わせる事になり、このために若干の補助費を支出する事になった。これは非常によい企てである。どうかこのせっかくの企てをできるだけ有効に遂行したいものである。

自分は中等教育というものについては自分でこれを受けてきたという以外になんらの経験もないものであるが、ただ年来大学その他専門学校で物理実験を授けてきた狭い経験から割出して自分だけの希望を述べてみたいと思う。もちろん我田引水的のところもあろうが、ただこれも一つの参考として教育者の方々に見て頂けば大幸である。

云うまでもなく、物理学で出逢《であ》う種々の方則等はある意味で非常に抽象的なものであって、吾人《ごじん》の眼前にある具体的な、ありのままの自然そのものに直接そっくり当て嵌《は》められるようなものはほとんどないとも云われる。「AがあればBが生ずる」というような簡単な言葉で云い表わしてある方則には、通例「ただAだけがあってその他の因子A′A″……等がないならば」という意味を含めてある。例えば「落体がある場所で九・八メートル／秒秒の加速度をもって垂直に落下する」というのでも、実は地球の重力のみ働き空気の抵抗や電気磁気などの作用がないとした場合の事である。しかるに実際物体を落す場合に完全な真空で完全に他の力を除外して実験する事はなかなか面倒である。実際重力加速度gを定めるにはこのような直接の方法によらず、かえって間接に振子の週期と長さから定め、空気の抵抗の影響は必要に応じて理論から計算した補正で除去する事ができるのである。天体の影響などは云うに足らぬし、普通の場合ならば電気や磁気の影響は小さいであろうが、しかしもし不注意にも鉄の振子を強い磁石の傍で振らせたり、あるいは軽い振子の場合に箱のガラスが荷電していたりしては決して正しい結果は得られるはずはない。箱の中でなく風のある部屋でむき出しの振子を振らせても同様である。それで一つの方則を実験しようというならば、その実験を支配し得る種々の原因要素を分解して、その内から特にその方則に指定した要素のみを抽出し、他のものを除くようにしなければ予定の結果を得る事はできない。少し極端な云い分ではあるが、物理学の方則というものは決して完全には実現し得られない抽象的事実の云い表わしであって、ただ条件を「方則の条件」に近くすればするほど、結果も漸近的《ぜんきんてき》にどこまでも「方則の結果」に近よるといった方がかえって穏当《おんとう》かもしれない。

こういう事を全く考えずに、ただ物理学教科書のみによって物理学を学んでいれば事柄は至極簡単で、太平無事であるが、一《ひ》と度《たび》書物以外に踏みだして実験をするという事になり、始めてありのままの自然に面するとなると、誠に厄介な事になってくる。若干の柔道の型を覚えていても敵と組打をやるとなれば敵の方で型の通りになってくれないと一般、眼前の自然は教科書の自然のように注文どおりになっていてくれぬから難儀である。

例えば早い話が教科書や試験問題には長さ一メートルの物差とか一グラムの分銅《ふんどう》とかいう言葉が心配げもなく使ってあるが、実際には決して精密に一メートルとか一グラムとかいう量に出逢う機会は皆無と云ってよい。ただ必要に応じて差しつかえのない程度まで単位の長さや重さに近いように作ったものにすぎない。生徒に実験を授ける際に一度は必ずこういう点にも注意を喚起しなければならぬと思う。紙の尺度や竹の尺度などを比較させて見るもよかろうし、また十グラムの分銅二つと二十グラムの分銅一つとを置換して必しも同じでない事を示し、精密なる目的には尺度の各分劃《ぶんかく》、分銅の各個につき補正を要する事や、温度による尺度の補正などの事も、少くもそういうものがあるくらいは、中学校でも授けておきたいと思う。少くも精密の度というものは比較的のものである事をよく理解させるが肝要であると思う。

また「大きさ一様なる棒」とか「平面」とか「球面」とかいうものも厳密には実現し得られない事も忘れてならない。長いガラスの円筒の直径をカリパーのようなもので種々の点で測らせ、その結果を適当な尺度に図示して径の不同を目立たせて見るのもよい。これはつまらぬ実験のようであるが、実際自分の経験では存外生徒の実験的趣味を喚起する効果があるようである。あるいは顕微鏡のデッキグラスの厚さを測微計で測らせ、また後に光学の部で再びこれを試験用平面に重ね、単色光で照らして干渉の縞《しま》を示すも有益であろう。

液体静力学の実験例えば浮秤《うきばかり》で水や固体の比重を測る時でも、毛管現象がいかに多大の影響を有するかという事を見せるために、液面に石鹸《せっけん》の片を触れて比重計の浮上がる様を見せる事なども必要と思う。あるいは夏季水道の水を汲《く》んだままで実験していると溶けた空気が出てきて器械に附着し著しい誤りを生ずる事なども実験させた方がよいと思う。

その他「完全なる剛体」とか「摩擦なき面」とか「一定の温度」とかいちいち枚挙に遑《いとま》はないが、こういう言葉をいかに理解しいかに自然界に適用すべきかという事を実験の途中で漸次に理解させるが肝要であろうと思う。これを誤解すれば、物理学を神の掟《おきて》のように思って妄信《もうしん》してしまうか、さもなくば反対に物理学の価値を見損なって軽侮《けいぶ》してしまうかの二つに一つである。

物理の実験である予定の結果に到達しようとするには、その結果を支配し得べきあらゆる条件要素を考えてみて、眼前の目的とする原因のみを特に作用させ他の要素はでき得る限りこれを除き、簡単にしあるいは一定にしなければならぬ。しかるにこの種々な要素の数はなかなか多くてこれに注意を配るのはあまり容易な事ではない。必然に成効するためにはすべての点に対する注意が円満に具足しなければならぬ。誠に簡単なような実験でもその成効を妨げるような条件は無数にあって、成効の途《みち》はただ一つしかない。少し油断をすると思いがけない掃除口から泥棒がはいるようなことになる。例えば天秤《てんびん》で重量を測るにしても、箱の片側に日光が当って箱の中の空気の対流を生じたり、腕の比が変ったり、蓋《ふた》の隙間から風がはいったり、刃のところに塵《ちり》がたまっていたり、皿に水滴が付いていたりするのに、このような事にはいっさい構わず、ただ器械的に「物理実験法」に書いてある方式通りの測り方をするようでは実験を練習する甲斐《かい》はほとんどない。これでは小使にでもやらせてその結果の報告を聞くだけでもよいようなものであろう。ビーカーに水を汲むのでも、マッチ一本するのでも、一見つまらぬようなことも自分でやってそしてそういうことにまでも観察力、判断力を働かすのでなければ効能は少い。使用する器械が精巧なほど使用の注意も複雑になるから、不注意に器械的申訳的にやるのではかえって粗末な方法でするよりも悪い結果になることが往々《おうおう》ある。先生の方で全部装置をしてやって、生徒はただ先生の注意する結果だけに注意しそれ以外にどんな現象があっても黙っているようなやり方では効力が少いのみならず、むしろ有害になる虞《おそれ》がある。御《お》膳《ぜん》を出してやって、その上に箸《はし》で口へ持ち込んでやって丸呑みにさせるという風な育て方よりも、生徒自身に箸をとってよく選り分け、よく味《あじわ》い、よく咀嚼《そしやく》させる方がよい。すぐ消化され吸収されるものばかりでなく、折々は不消化物も与えないと胃の機能が衰えるようなもので、実験中に起るべき種々の困難にできるだけ遭遇させ、漸次これを除いて最後の結果に到着すると同時に、目的以外の現象にも注意してそれを等閑《とうかん》に附せないような習慣をつけたいものである。

数十種の実験を皮相的申訳的にやってしまうよりも少数の実験でもできるだけ徹底的に練習し、できるだけあらゆる可能な困難に当ってみて、必成の途を明にするように勉《つと》める方が遥に永久的の効果があり、本当の科学的の研究方法を覚える助けになるかと思う。実験を授ける効果はただ若干の事実をよく理解し記憶させるというだけではなく、これによって生徒の自発的研究心を喚起し、観察力を練り、また困難に遭遇してもひるまずこれに打勝つ忍耐の習慣も養い、困難に打勝った時の愉快をも味わしめる事ができる。その外観察の結果を整理する技倆《ぎりょう》も養い、正直に事実を記録する癖をつける事やこのような一般的の効果がなかなか重要なものであろう。

物理実験を生徒に示すのは手品を見せるのではない。手際よくやって驚かす性質のものではなく、むしろいかにすれば成効しいかにすれば失敗するかを明にする方に効果がある。それがためには教師はむしろできるだけ多く失敗して最後に成効してみせる方が教授法として適当であるかと思う。ここにちょっとデリケートな問題が起る。このような点から考えると物理実験を授けるべき教員は、教える前に自分で十分にすべての実験を練習し、あらゆる場合に遭遇し、あらゆる困難を切り抜けてこなければならないかという疑問が起る。しかしこれは云うべくして行いがたい注文であって、そのような人を求めたところでそれは無理な事である。相当な専門家でもすべての場合にぶっつかって少しもまごつかぬという人ははなはだ稀《まれ》であろう。しかしこの点は少しも心配することはないと思う。もともと実験の教授というものは、軍隊の教練や昔の漢学者の経書の講義などのように高圧的にするべきものではなく、教員はただ生徒の主動的経験を適当に指導し、あるいは生徒と共同して新しい経験をするような心算ですべきものと思う。簡単な実験でも何遍も繰返すうちには四囲の状況は種々に変化するから結果に多少の異同や齟齬《そご》を来すのは常の事である。このような場合における教員の措置いかんは生徒の科学的精神の死活に関するような影響を有するものと思う。この場合に結果を都合のよいようにこじつけたり、あるいは有耶無耶《うやむや》のうちに葬ったり、あるいは予期以外の結果を故意に回避したりするような傾向があってはならぬ。かえって意外な結果や現象に対しては十分な興味をもってまともに立向い、判らぬ事は判らぬとしてできる限りの熱心と努力をもってその解決に勉めなければなるまい。これは一見生徒の前に自分の無知を表白するように見える。ことに中学程度の生徒には教員の全知全能を期待するような傾向があるとすれば、なおさら教員の立場は苦しいわけであろう。しかしそれはほんの一時の困難であろうと思われる。一通りの知識と熱心と忍耐と誠実があらば、そうそう解決のつかぬような困難の起る事は普通の場合には稀である。そのうちに生徒の方でも実験というものの性質がだんだん分ってこようし、教員の真価も自《おのずか》ら明になろうと思う。そういう事を理解するだけでもその効能はなかなか大きいものであろう。これに反して誤った傾向に生徒を導くような事があっては生徒の科学的の研究心は蕾《つぼみ》のままで無惨《むざん》にもぎ取られるような事になりはしないかと恐れるのである。

以上はただ一個の学究の私見で一つの理想に過ぎない。多数の学者ことに教育者の側から見れば不都合な点も多くあるかもしれないし、自分でも十分に意を尽さぬために誤解を生じはせぬかと思う点もあるが、ともかくも思うままを誌《しる》して大方の叱正《しっせい》を待つのである。

（大正七年六月）

科学上の骨董趣味と温故知新

骨董《こっとう》趣味とは主として古美術品の翫賞《がんしょう》に関して現われる一種の不純な趣味であって、純粋な芸術的の趣味とは自ら区別さるべきものである。古画や器物などに「時」の手が加わって一種の「味」が生じる。あるいは時代の匂というようなものが生じる。またその品物の製作者やその時代に関する歴史的聯想も加わる。あるいは昔の所蔵者が有名な人であった場合にはその人に関する聯想が骨董的の価値を高める事もある。あるいはまた単にその物が古いために現今稀有《けう》である、類品が少いという考に伴う愛着の念が主要な点になる事もある。この趣味に附帯して生ずる不純な趣味としては、かような珍品をどこからか掘出してきて人に誇るという傾向も見受けられる。この点において骨董趣味はまたいわゆる蒐集《しゅうしゅう》趣味と共有な点がある。マッチの貼紙や切手を集めあるいはボタンを集め、達磨《だるま》を集め、はなはだしきは蜜柑《みかん》の皮を蒐集するがごとき、これらは必しも時代の新旧とは関係はないが珍しいものを集めて自ら楽しみ人に誇るという点はやはり骨董趣味と共通である。

科学者の修得し研究する知識はその本質上別にそれが新しく発見されたか旧《ふる》くから

知られているかによって価値を定むべきものではない。科学上の真理は常に新鮮なるべきもので骨董趣味とは没交渉であるべきように見える。しかし実際は科学上にも一種の骨董趣味は常に存在し常に流行しているのである。

もし科学上の事実や方則は人間未生以前から存していて、ただ科学者のこれを発見し掘出すのを待っているにすぎぬと考える者の立場から見れば、このくらい古い物はない道理である。こういう意味からすれば科学者の探求的慾望《よくぼう》は骨董狂の掘出し慾と類する点があると云われ得る。しかしまた他の半面の考え方によれば科学者の知識は「物自身」の知識ではなくて科学者の頭脳から編み上げた製作物とも云われる。そう考えれば科学者の欲求は芸術家の創作的慾望と軌を一にするわけである。しかしこういう根本問題は別としてもまだ種々な科学的骨董趣味が存在するのである。

一口に科学者とはいうものの、科学者の中には種々の階級がある。科学の区別は別問題として、その人々の科学というものに対する見解やまたこれを修得する目的においても十人十色と云ってよいくらいに多種多様である。実際そのためにおのおの自己の立場から見た科学以外に科学はないと考えるために種々の誤解が生じる場合もある。これらの種類を列挙するのは本文の範囲以外になるから、これは他日に譲るとして、ここにはもっぱら骨董趣味という点から見て二つの極端に位する二種の科学者を対照して見ようと思う。

科学者の中にはその専修学科の発達の歴史に特別の興味をもっている人が多数にある。これが一歩進むとその歴史に関したあらゆる記録、古文書、古器物に対してちょうど骨董家がもつような愛好の念をもってこれを蒐集する人もある。これはまず純粋な骨董趣味と名《な》づけ得られるものであろう。また少し種類が違っているが、品物を集めるのではなくて古い書物や論文を愛読してその中からその価値のいかんによらず人のあまり知らぬ研究や事実を掘出して自ら楽しみまた人に示すを喜ぶ趣味もある。これは多くの読書家に通有な事であるが、これも一種の骨董趣味と名け得られない事はない。科学の方面で云えば例えばある方則または事実の発見前幾年に誰れがすでにこれに類似の事を述べているといったような事を探索して楽しむのである。

次にもう少し類を異にした骨董趣味がある。一体科学者が自己の研究を発表するに当ってその当面の問題に聯関した先人の研究を引用し批評するのは当然の務《つとめ》である事は申すまでもない。しかしこれが往々《おうおう》にして骨董的傾向を帯びる事がある。すなわち当面の問題に多少の関係さえあればこれがいかに目下の研究に縁が遠くまたいかに古くまた無価値ないしは全然間違ったものでも無差別無批評に列挙するというふうの傾向を生じる事もある。この傾向は例えばドイツの物理学者などの中にしばしば見受けるところである。別に咎《とが》むべき事でもないと思うがとにかく骨董趣味に類した一種の「趣味」と見ても差支はなかろう。

　これと正反対の極端にある科学者もある。その種類の人には歴史という事は全く無意味である。古い研究などはどうでもよい。最新の知識すなわち真である。これに達した径路は問うところではないのである。実際科学上の知識を絶対的または究極的なものと信じる立場から見ればこれも当然な事であろう。また応用という点から考えてもそれで十分らしく思われるのである。しかしこの傾向が極端になると、古いものは何物でも無価値と考え、新しきものは無差別に尊重するような傾向を生じやすいのである。

　これほど極端でないまでも実際科学者としては日進月歩の新知識を修得するだけでもかなりに忙しいので歴史的の詮索《せんさく》までに手の届かぬものは普通の事である。

　しかし自分の見るところでは、科学上の骨董趣味はそれほど軽視すべきものではない。この世に全く新しき何物も存在せぬという古人の言葉は科学に対しても必しも無意義ではない。科学上の新知識、新事実、新学説といえども突然天外から落下するようなものではない。よくよく詮議すればどこかにそのよって来るべき因縁系統がある。例えば現代の分子説や開闢説《かいびゃくせつ》でも古い形而上学者の頭の中に彷徨《ほうこう》していた幻像に脈絡を通じている。ガス分子論の胚子《はいし》はルクレチウスの夢みたところである。ニュートンの微粒子説は倒れたがこれに代るべき微粒子輻射《ふくしゃ》は近代に生れ出た。破天荒《はてんこう》と考えられる素量説のごときも二十世紀の特産物ではないようである。エピナスの古い考はケルビン、タムソンの原子説を産んだ。デカルトの荒唐《こうとう》な仮説は渦動分子説の因をなしているとも見られる。植物学者ブラウンの物数奇《ものずき》な研究はいったん世に忘れられたが、近年に到って分子説の有力な証拠として再び花が咲いたのである。実用方面でも幾多の類例がある。ガリレーの空気寒暖計は発明後間もなく棄てられたが、今日の標準はまた昔のガス寒暖計に逆戻りした。シーメンスが提出した白金抵抗寒暖計はいったん放棄されて、二十年後にカレンダー、グリフィスの手によって復活した。このような類例を探せばまだいくらでもあるだろう。新しい芸術的革命運動の影にはかえって古い芸術の復活が随伴するように、新しい科学が昔の研究に暗示を得る場合ははなはだ多いようである。これに反して新しい方面のみの追究はかえって陳腐を意味するようなパラドックスもないではない。かくのごとくにして科学の進歩は往々にして遅滞する、そしてこれに新しき衝動を与えるものは往々にして古き考の余燼《よじん》から産れ出るのである。

現今大戦の影響であらゆる科学は応用の方面に徴発されている。応用方面の刺戟《しげき》で科学の進歩する事は日常の事であるからこのために科学が各方面に進歩する事は疑を容《い》れない。これは誠に喜ぶべき事である。しかしその半面の随伴現象としていわゆる骨董趣味を邪道視し極端に排斥《はいせき》し、ついには巧利を度外視した純知識慾に基づく科学的研究を軽んずるような事があってはならぬと思う。直接の応用は眼前の知識の範囲を出《い》づる事はできない。したがってこれには一定の限界がある。予想外の応用が意外な閑人的学究の骨董的探求から産出する事は珍しくない。自分は繰返して云いたい。新しい事はやがて古い事である。古い事はやがて新しい事である。

温故知新という事は科学上にも意義ある言葉である。また現代世界の科学界に対する一服の緩和剤としてこれを薦《すす》めるのもあながち無用の業ではないのである。

（大正八年一月）

言語と道具

人間というものが始めてこの世界に現出したのはいつ頃であったか分らないが、進化論に従えば、ともかくも猿のような動物からだんだんに変化してきたものであるらしい。しかしその進化のいかなる段階以後を人間と名づけてよいか、これもむつかしい問題であろう。ある人は言語の有無をもって人間と動物との区別の標識としたらよいだろうと云い、またある人は道具あるいは器具の使用の有無を準拠とするのが適当だろうという。私にはどちらがよいか分らない。しかしこの言語と道具という二つのものを、人間の始原と結び付けると同様に、これを科学というものあるいは一般に「学」と名づけるものの始原と結び付けて考えてみるのも一種の興味があると思う。

言語といえども、ある時代に急に一時に出来上がったものとは思われない。おそらく初めはただ単純な叫声あるいはそれの連続であったものが、だんだんに複雑になってきたものに相違ない。あるいは自然界の雑多な音響を真似てそれをもってその発音源を代表させる符号として使ったり、あるいはある動作に伴う努力の結果として自然に発する音声をもってその動作を代表させた事もあろう。いずれにしても、こういう風にしてある定まった声が「言葉」として成立したという事は、もうそこに「学」というものの芽生えができた事を意味する。例えば吾人《ごじん》が今日云う意味での「石」という言葉ができたとする。これはすでに自然界の万象の中からあるものが選び出され抽象されて、一つのいわゆる「類概念」が構成された事を意味する。同様に石を切る、木を切るというような雑多な動作の中から共通なものが抽象されて、そこに「切る」という動詞ができ、また同様にして「堅い」というような形容詞が生れる。これらの言葉の内容はもはや箇々の物件を離れて、それぞれ一つの「学」の種子になっている。

こういう事ができるというのが、大きな不思議である。

いったいこれらの言葉あるいはそれに相当する抽象的な概念は自然その物に内存していて、吾々《われわれ》はただ自然の中からそれを掘り出しまた拾い出しさえすればよいものであろうか。それともまたこのようなものを作りあげるに必要な秩序や理法が人間の方に備わっているので、吾々はただ自己の内にある理法の鏡に映る限りにおいて自己以外と称するものを認めるのであろうか。これはむつかしい問題である。そして科学者にとっても深く考えてみなければならない問題である。しかしここでこの問題に立入ろうというのではない。

ともかくも言語があるという事は知識の存在を予定する。そしてそれがある程度の普遍性をもつものでなければならない。そうでなければ、人々は口々に饒舌《しゃべ》っていても世界は癲狂院《てんきょういん》かバベルの塔のようなものである。

共通な言葉によって知識が交換され伝播《でんぱ》されそれが多数の共有財産となる。そうして学問の資料が蓄積される。

このような知識は、それだけでは云わばただ物置の中に積み上げられたような状態にある。それが少数であるうちはそれでもよい。しかし数と量が増すにつれて整理が必要になる。その整理の第一歩は「分類」である。適当に仕切られた戸棚や引出しの中に選り分けられて、必要な場合に取り出しやすいようにされる。このようにして記載的博物学の系統が芽を出し始める。

分類は精細にすればするほど多岐になって、結局分類しないと同様になるべきはずのものである。しかしこの迷理を救うものは「方則」である。皮相的には全く無関係な知識の間の隔壁《かくへき》が破れて二つのものが一つに包括される。かようにしてすべての戸棚や引出しの仕切りをことごとく破ってしまうのが、物理科学の究極の目的である。隔壁が除かれてももはや最初の混乱状態には帰らない。何となればそれは一つの整然たる有機的体系となるからである。

出来上ったものは結局「言語の糸で綴《つづ》られた知識の瓔珞《ようらく》」であるとも云える。また

「方則」はつまりあらゆる言語を煎《せん》じ詰めたエキスであると云われる。

道具を使うという事が、人間以外にもあるという人がある。蜘蛛《くも》が網を張ったり、ある種の土蜂《つちばち》が小石をもって地面をつき堅めるのがそれだという。しかしそれは智恵でするのではなくて本能であると云って反対する人がある。それはいずれにしても、器具というものの使用が人類の目立った標識の一つとなる事は疑いない事である。

そして科学の発達の歴史はある意味においてこの道具の発達の歴史である。

古い昔の天測器械や、ドルイドの石垣などは別として、本当の意味での物質科学の開け始めたのはフロレンスのアカデミーで寒暖計や晴雨計などが作られて以後と云ってよい。そして単に野生の木の実を拾うような「観測」の縄張りを破って、「実験」の広い田野をそういう道具で耕し始めてからの事である。ただの「人間の言語」だけであった昔の自然哲学は、これらの道具の掘り出した「自然自身の言語」によって内容の普遍性を増していった。質だけを表わす言語に代って数を表わす言語の数がしだいに増していった。そうして今日の数理的な精密科学の方へ進んできたのである。

言語と道具が人間にとって車の二つの輪のようなものであれば、科学にとってもやはりそうである。理論と実験――これが科学の言語と道具である。


（大正十二年五月）

相対性原理側面観

一

世間ではもちろん、専門の学生の間でもまたどうかすると理学者の間ですら「相対性原理は理解しにくいものだ」という事に相場が極《きま》っているようである。理解しにくいと聞いてそのためにかえって興味を刺戟《しげき》される人ももとよりたくさんあるだろうし、また謙遜《けんそん》ないしは聞きおじしてあえて近寄らない人もあるだろうし、自分の仕事に忙がしくて実際暇のない人もあるだろうし、また徹底的専門主義の門戸に閉じ籠《こも》って純潔を保つ人もあるだろうし、世はさまざまである。アインシュタイン自身も「自分の一般原理を理解しうる人は世界に一ダースとはいないだろう」というような意味の事を公言したと伝えられている。そしてこの言葉もまた人さまざまにいろいろに解釈されもてはやされている。

しかしこの「理解」という文字の意味がはっきりしない以上は「理解しにくい」と

いう言詞の意味もきわめて漠然《ばくぜん》としたものである。とりようによっては、どうにでも取られる。

もっとも科学上の理論に限らず理解という事はいつでも容易なことでない。例えば吾々《われわれ》の子供が吾々に向って云う事でも、それからその子供の本当の心持を酌取る程度まで理解するのは必しも容易な事ではない。これを十分に理解するためには、その子供をしてそういう言辞を云わしむるようになった必然な沿革や環境や与件を知悉《ちしつ》しなければならない。それを知らなければ畢竟《ひっきょう》無理解没分暁《ぼつぶんぎょう》の親爺《おやじ》たる事を免れがたいかもしれない。ましてや内部生活の疎隔した他人はなおさらの事である。

科学上の、一見簡単明瞭《めいりょう》なように見える命題でもやはり本当の理解は存外困難である。例えばニュートンの運動の方則というものがある。これは中学校の教科書にでも載せられていて、年のゆかない中学生はともかくもすでにこれを「理解」する事を要求されている。高等学校ではさらに詳しく繰返して第二段の「理解」を授けられる。大学に入って物理学を専攻する人はさらに深き第三段、第四段の「理解」に進むべき手はずになっている。マッハの「力学《メヒャニーク》」一巻でも読破《どくは》して多少自分の批評的な眼を働かせてみて始めていくらか「理解」らしい理解が芽を吹いてくる。しかしよくよく考えてみるとそれではまだまだ十分だろうとは思われない。

科学上の知識の真価を知るには科学だけを知ったのでは不十分である事はもちろんである。外国へ出てみなければ祖国の事が分らないように、あらゆる非科学ことに形《けい》而上学《じじょうがく》のようなものと対照し、また認識論というような鏡に照らして批評的に見た上でなければ科学は本当には「理解」されるはずがない。しかしそういう一般的な問題は別として、ここで例にとったニュートンの方則の場合について物理学の範囲内だけで考えてみても、結局ニュートン自身が彼自身の方則を理解していなかったというパラドックスに逢着《ほうちゃく》する。なんとなれば彼の方則がいかなるものかを了解する事は、相対性理論というものの出現によって始めて可能になったからである。こういう意味で云えば、ニュートン以来彼の方則を理解し得たと自信していた人はことごとく「理解していなかった」人であって、かえってこの方則に不満を感じ理解の困難に悩んでいたきわめて少数の人たちが実は比較的よく理解している方の側に属していたのかもしれない。アインシュタインに到って始めてこの難点が明《あきらか》にされたとすれば、彼は少くもニュートンの方則を理解する事において第一人者であると云わなければならない。これと同じ論法で押していくと結局アインシュタイン自身もまだ徹底的には相対性原理を理解し得ないのかもしれないという事になる。

こういうふうに考えてくると私には冒頭に掲げたアインシュタインの言詞がなんと

なく一種諷刺的《ふうしてき》な意味のニュアンスを帯びて耳に響く。

想うに一般相対性原理の長所と同時にまたいくらかの短所があるとすれば、一番痛切にそれを感じているのはアインシュタイン自身ではあるまいか。おそらく聡明《そうめい》な彼の眼には、なお飽き足らない点、補充を要する点がいくらもありはしないかという事は浅学《せんがく》な後輩の吾々にも想像されない事はない。

自己批評の鋭いこの人自身に不満足と感ぜらるる点があると仮定する。そしてそれらの点までもなんらの批評なしに一般多数に承認され讃美《さんび》される事があると仮定した時に、それにことごとく満足して少しもくすぐったさを感じないほどに冷静を欠いた人とはどうしても私には思われない。

それゆえに私は彼の言葉から一種の諷刺的な意味のニュアンスを感じる。私にはそれが自負の言葉だとはどうしても思われなくて、かえってくすぐったさに悩むあまりの愚痴のようにも聞きなされる。これはあまりの曲解かもしれない。しかしそういう解釈も可能ではある。

二

科学上の学説、ことに一人の生きているアダムとイヴの後裔《こうえい》たる学者の仕事としての学説に、絶対的「完全」という事が厳密な意味で望まれうる事であるかどうか。これもほとんど問題にならないほど明白に不可能な事である。ただ学者自身の自己批評能力の程度に応じて、自ら認めて完全と「思う」事はもちろん可能で、そして尋常一般に行われている事である。そう思いうる幸運な学者は、その仕事が自分で見て完全になるのを待って安心してこれを発表する事ができる。しかし厳密な意味の完全が不可能事である事を痛切にリアライズし得た不幸なる学者は相対的完全以上の完全を期図する事の不可能で無意義な事を知っていると同時に、自分の仕事の「完全の程度」に対してやや判然たる自覚を有《も》つ事が可能である。私の見るところでニュートンやアインシュタインは明にこの後の部類に属する学者である。

私は、ボルツマンやドルーデの自殺の原因が何であるかを知らない。しかし彼らの死を想うたびに真摯《しんし》な学者の煩悶《はんもん》という事を考えない事はない。

学説を学ぶものにとってもそれの完全の程度を批判し不完全な点を認識するは、その学説を理解するためにまさに勉《つと》むべき必要条件の一つである。

しかしここに誤解してならない事で、そしてややもすれば誤解されやすい事がある。すなわちそういう「不完全」があるという事は、すべての人間の構成した学説に共通なほとんど本質的な事であって、しかもそれがあるために直ちにその学説が全滅するというような簡単なものとは限らないし、むしろそういう点を認める事がその学説の補塡《ほてん》に対する階段と見做《みな》すべき場合の多い事である。そういう場合に、若干の欠点を指摘して残る大部分の長所までも葬り去らんとするがごとき態度をとる人もない事はない。アインシュタインの場合にもそういう人がないとは限らないようである。しかしそれはいわゆる「揚足取り」の態度であって、真面目な学者の態度とは受取られない。

「完全」でない事をもって学説の創設者を責めるのは、完全でない事をもって人間に生れた事を人間に責めるに等しい。

人間を理解し人間を向上させるためには、盲目的に歎美《たんび》してはならないし、没分暁に非難してもならないと同様に、一つの学説を理解するためには、その短所を認める事が必要であると同時に、そのためにせっかくの長所を見逃してはならない。これはあまりに自明的な事であるにかかわらず、最も冷静なるべき科学者自身すら往々《おうおう》にして忘れがちな事である。

少くも相対性原理はたとえいかなる不備の点が今後発見され、またたとえいかなる実験的事実がこの説に不利なように見えても、それがために根本的に否定されうべき性質のものではないと私は信じている。

三

相対性原理の比較的に深い理解を得るためにはその数学的系統を理解する事はおそらく必要である。しかしそれは必要であるが、それだけではまだ「必要かつ十分な条件」にならない事も明白である。数学だけは理解しても、少くもアインシュタインの把握《はあく》しているごとくこの原理を「握《つか》む」事は必しも可能でない。

また一方において、数学の複雑な式の開展を十分に理解しないでしかも、アインシュタインがこの理論を構成する際に歩んできた思考上の道程を、かなりに誤らずに通覧する事も必しも不可能ではないのである。不可能でないのみならずある程度までのある意味での理解はかえってきわめて容易な事かもしれない。少くもアインシュタイン以前の力学や電気学における基礎的概念の発展沿革の骨子を歴史的に追跡し玩味《がんみ》した後にまず特別相対性理論に耳を傾けるならば、その人の頭がはなはだしく先入中毒に罹《かか》っていない限り、この原理の根本仮定の余儀なさあるいはむしろ無理なさをさえ感じないわけにはいくまいと思う。ある人はコロンバスの卵子を想起するであろう。卵子を直立させるには殻《から》を破らなければならない。アインシュタインはそこで余儀なく絶対空間とエーテルの殻を砕いたまでである。

殻を砕いて新たに立てた根本仮定から出発して、それから推論される結果までの論理的道行は数学者に信頼すればそれでよい。そして結果として出現した整然たる系統の美しさを多少でも認め味わう事ができて、そうして客観的実在の一つの相をここに認める事ができたとすれば、その人は少くとも非専門家としてすでにこの原理をある度まで「理解」したものと云っても決して不倫ではない。

特別論の一般を知った後にそれが等速運動のみに関するという点に一種の物足りなさあるいは不安を感じる人は、すでに立派に一般論の門戸に導かれるべき資格を備えている。そしてそこに再び第二のコロンバスの卵子に逢着《ほうちゃく》するだろう。

本論に入ってからのやや複雑を免かれない道筋でも専門家以外には味われないようなものばかりであるとは思われない。もしどうしても分らないものであったら、アインシュタイン自身がその通俗講義を書くような事はおそらくなかったに相違ない。私はどんなむつかしい理論でもそれが「物理学」に関したものである限り、素人《しろうと》にどうしてもなんらの説明をもする事もできないほどにむつかしいものがあるとは信じられない。もしあったらそれは少くも物理でないと云ったような心持がする。

少くも吾々素人がベートーヴェンの曲を味わうと類した程度に、相対性原理を味う事は誰れにも不可能ではなく、またそういう程度に味わう事がそれほど悪い事でもないと思う。

四

この原理を物理学上の一原理として見た時の「妙趣」あるいは「価値」が主としてどこにあるか。それが数式にあるか、考えの運び方にあるか。これもほとんど問題にならないほど明であるように私は思う。数式は彼の考を進めるものに使われた必要な道具であった。その道具を彼は遠慮なく昔の数学者や友人のところから借りてきた。これはまさに人の知るとおりである。その道具の使い方がどこまで成効しているかはおそらく未決の問題ではあるまいか。それを決定するのは専門家の仕事である、そしてそれは必しも第二のアインシュタインを要しない仕事である。しかし一人のアインシュタインを必要とした仕事の中核真髄は、この道具を必要とするような羽目に陥るような思考の道筋に捜《さぐ》りあてた事、それからどうしてもこの道具を必要とするという事を看破した事である。これだけの功績はどう考えても否む事はできないと思う。たとえ彼の理論の運命が今後どうあろうとも、これだけは確かな事である。そこに彼の頭脳の偉大さを認めぬわけには行くまいと思う。

ナポレオンが運命の夕に南大西洋の孤島に淋《さび》しく終ってもその偉大さに変りはなかった。しかしアインシュタインのような仕事にそのような夕があろうとは想像されない。科学上の仕事は砂上の家のような征服者の栄華の夢とは比較ができない。

しかしまた考えてみると一般相対性理論の実験的証左という事は厳密に云えば至難な事業である。たとえ遊星運動の説明に関する従来の困難がかなりまで除却され、日《につ》蝕《しょく》観測の結果がかなりまで彼の説に有利であっても、それはこの理論の確実性を増しこそすれ、厳密な意味でその絶対唯一性を決定するに十分なものであるとは遽《にわか》には信じられない。スペクトル線の変位のごときはなおさら決定的証左としての価値にかなりの疑問があるように見える。

私は科学の進歩に究極があり、学説に絶対唯一のものが有限な将来に設定されようとは信じ得ないものの一人である。それで無終無限の道程をたどり行く旅人として見た時にプトレミーもコペルニクスもガリレーもニュートンも今のアインシュタインも結局はただ同じ旅人の異なる時の姿として目に映る。この果てなく見える旅路が偶然にも吾々の現代に終結して、これでいよいよ彼岸に到達したのだと信じうるだけの根拠を見出《みいだ》すのは私には困難である。

それで私は現在あるがままの相対性理論がどこまで保存されるかという事は一つの疑問になりうると思う。しかしこれに反して、どうしても疑問にならない唯一の確実な事実は、アインシュタインの相対性原理というものが現われ、研究され、少くも大部分の当代の学界に明白な存在を認められたという事実である。これだけの事実はいかなる疑い深い人でも認めないわけにはいかないだろうと思う。

これはしかし大きな事実ではあるまいか。科学の学説としてこれ以上を望む事がはたして可能であるかどうか、少くも従来の歴史は明にそういう期待を否定している。

こういうわけで私はアインシュタインの出現が少しもニュートンの仕事の偉大さを傷《きず》つけないと同様に、アインシュタインの後に来るべきXやYのために彼の仕事の立派さが損《そこな》われるべきものでないと思っている。

もしこういう学説が一朝《いっちょう》にして覆《くつが》えされ、またそのために創設者の偉らさが一時に消滅するような事が可能だと思う人があれば、それはおそらく科学というものの本質に対する根本的の誤解から生じた誤りであろう。

いかなる場合にもアインシュタインの相対性原理は、波打際に子供の築いた砂の城《じょう》廓《かく》のような物ではない。狭く科学と限らず一般文化史上にひときわ目立って見える堅固な石造の一里塚《いちりづか》である。

五

相対性原理に対する反対論というものが往々に見受けられる。しかし私の知り得た限りの範囲では、この原理の存在を危くするほどに有力なものはないように思われる。反対論者の反対の主なる「動機」は、だんだん詮《せん》じつめると結局この原理の基礎的な仮定や概念があまりはなはだしく吾人《ごじん》の常識に背くという一事に帰着するように見える。

科学と常識との交渉は、これは科学の問題ではなくてむしろ認識論上の問題である。したがって科学上の問題に比べてむつかしさの程度が一段上にある。

しかし少くも歴史的に見た時に従来の物理的科学ではいわゆる常識なるものは、論理的系統の整合のためには、惜気なくとは云われないまでも、少くもやむを得ず犠牲として棄却されあるいは改造されてきた。

太陽が動かないで地球が運行しているという事、地球が球形で対蹠点《たいせきてん》の住民が逆さにぶら下っているという事、こういう事がいかに当時の常識に反していたかは想像するにかたくない。

非ユークリッド幾何学の出発点がいかに常識的におかしく思われても、これを否定すべき論理は見つからない。こういう場合に吾々のとるべき道は二つある。すなわち常識を捨てるか、論理を捨てるかである。数学者はなんの躊躇《ちゅうちょ》もなく常識を投出して論理を取る。物理学者はたとえいやいやながらでもこの例にならわなければならない。

物理学の対象は客観的実在である。そういうものの存在はもちろん仮定であろうが、それを出発点として成立した物理学の学説は畢竟《ひっきょう》比較的少数の仮定から論理的演繹《えんえき》によって「観測されうる事象」を「説明」する系統である。この目的が達せられうる程度によって学説の相対的価値が定まる。この目的がかなり立派に達せられて、しかも根本仮定が非常識だという場合に常識を棄てるか学説を棄てるかが問題である。現在あるところの物理学は後者を選んで進んできた一つの系統である。

私は常識に重きを置く別種の系統の成立不可能を確実に証明するだけの根拠をもたない。しかしもしそれが成立したと仮定したらどうだろう。それは少くも今日のいわゆる物理学とは全然別種のものである。そうしてそれが成立したとしても、それが現在物理学の存在を否定する事にはなり得ないと思う。そして最後に二者の優劣を批判するものがあれば、それは科学以外の世界に求めなければならない。

六

自然の森羅万象《しんらばんしょう》がただ四個の座標の幾何学に詮じつめられるという事はあまりに堪えがたい淋しさであると歎じる詩人があるかもしれない。しかしこれは明に誤解である。相対性理論がどこまで徹底しても、やっぱり花は笑い、鳥は唱《うた》う事をやめない。もしこの人と同じように考えるならば、ただ一人の全能の神が宇宙を支配しているという考もいかに淋しく荒涼なものであろう。

今のところ私は、すべての世人が科学系統の真美を理解して、そこに人生究極の帰趣を認めなければならないのだと信ずるほどに徹底した科学者になり得ない不幸な懐疑者である。それで時には人並に花を見て喜び月に対しては歌う。しかしそうしている間にどうかすると突然な不安を感じる。それは花や月その他いっさいの具象世界のあまりに取り止めどころのない頼りなさである。どこをつかまえるようもない泡沫《ほうまつ》の海に溺《おぼ》れんとする時に私の手に触れるものが理学の論理的系統である。絶対的安住の世界が得られないまでも、せめて相対的の確かさを科学の世界に求めたい。

こういう意味で私は、同じような不安と要求をもっている多くの人に、理学の系統の中でもことにアインシュタインの理論のごとき優れたものの研究をすすめたい。多くの人は一見乾燥なように見える抽象的系統の中に花鳥風月の美しさとは、少し種類のちがった、もう少し歯ごたえのある美しさを、把握《はあく》しないまでも少くも瞥見《べっけん》する事ができるだろうと思う。

（大正十一年十二月）

電車の混雑について

満員電車の吊革《つりかわ》に縋《すが》って、押され突かれ、揉《も》まれ、踏まれるのは、多少でも亀裂《きれつ》の入った肉体と、そのために薄弱になっている神経との所有者にとっては、ほとんど堪えがたい苛責《かしやく》である。その影響は単にその場限りでなくて、下車した後の数時間後まで継続する。それで近年難儀な慢性の病気に罹《かか》って以来、私は満員電車には乗らない事に、空《す》いた電車にばかり乗る事に決めて、それを実行している。

必ず空いた電車に乗るために採るべき方法はきわめて平凡で簡単である。それは空いた電車の来るまで、気永く待つという方法である。

電車の最も混雑する時間は線路と方向によってだいたい一定しているようである。このような特別な時間だと、いくら待ってもなかなか空いた電車はなさそうに思われるが、そういう時刻でも、気永く待っているうちには、稀《まれ》に一台ぐらいはかなりに楽なのが廻《まわ》ってくるのである。これは不思議なようであるが、実は不思議でもなんでもない、当然な理由があっての事である。この理由に気のついたのは、しかしほんの近ごろで、それまでは単に一つの実験的事実として認識し、利用していただけであった。

なんと云ってもあまり混雑の劇《はげ》しい時刻には、来る電車も来る電車も、普通の意味の満員は通り越した特別の超越的満員であるが、それでも停留所に立って、ものの十分か十五分も観察していると、相次いで来る車の満員の程度に自らな一定の律動のある事に気がつく。六、七台も待つ間には、必ず満員の各種の変化の相の循環するのを認める事ができる。

このような律動の最も鮮明に認められるのは、それほど極端には混雑しない、まず云わば中等程度の混雑を示す時刻においてである。

そういう時刻に、試みにある一つの停留所に立って観《み》ていると、いつでもほとんどきまったように、次のような週期的の現象が認められる。

まず停留所に来てみるとそこには十人ないし二十人の群が集まっている。そうして大多数の人はいずれも熱心に電車の来る方向を気にして落着かない表情を露出している。その間に群の人数はだんだんに増す一方である。五分か七分かするとようやく電車が来る。するとおおぜいの人々は、降りる人を待つだけの時間さえ惜しむように先きを争って乗り込む。あたかも、もうそれかぎりで、あとから来る電車は永久にないかのように争って乗り込むのである。しかしこういう場合にはほとんどきまったように、第二、第三の電車が、時間にしてわずかに数十秒長くて二分以内の間隔をおいて、すぐ後から続いてくる。第一のでは、入口の踏台までも人がぶら下がっているのに、それが未《ま》だ発車するかしないくらいの時同じ所に来る第二のものでは、もう吊革に縋っている人はほんの一人か二人くらいであったり、どうかすると座席に空間ができたりする。第三のになると降りる人の降りた後はまるでがら明きの空車になる事も決して珍しくない。

こういう空いた車が数台つづくと、それからまた五分あるいは十分ぐらいの間はしばらく車が途絶える。その間に停留所に立つ人の数はほぼ一定の統計的増加率をもって増していく。それが二十人、三十人と集まったころにやって来る最初の車は、必ずすでに初めからある程度の満員である。それがそこで下車する数人を降ろして、しかして二十人、三十人を新たに収容しなければならない事になる。どうしても乗れなくて乗り損ねた数人の不幸な人達は、三十秒も待った後に、あとから来た車の座席にゆっくり腰をかけて、例えば暑さの日ならば、明け放った窓から吹き入る涼風に眼を細くしながら、遠慮なく脚を延ばして乗っていくのである。そうして目的地に着いてみると、すぐ前に停っている第一電車は相変らず満員で、その中から人と人とを押し分けて、泥田を泳ぐようにしてやっと下車する人達とほとんど同時に街上の土を踏むような事も珍しくはない。

私はいつもこうした混雑の週期的な波動の「峰」を避けて「谷」を求める事にしている。そうして正常な座席にゆっくり腰をかけて、落着いた気分になって雑誌か書物のようなものを読む事にしている。波の峰から谷まで待つために費やす時間は短い時で数十秒、長くて一分か二分を超ゆる事は稀なくらいである。その間には私はそこらの店先にある商品を点検したり、集まっている人達の顔やあるいは蒼空《あおぞら》に浮かぶ雲の形態を研究したりする。そうしたためにもしこの僅少《きんしょう》な時間を空費したとしても、乗車してからの数十分間に身体を休息させ、こういう時でなければちょっと読む機会のないような種類の読物を十頁でも読むとすれば、差引して、どうしてもこの方が利益であるとしか思われない。さらに私にとって重大なのは下車後の身心の疲労をこうして免れる事である。

目的地に一分ないし二分早く到着する事がそれほど重大であるような場合は、少くも私のようなものにはほとんど皆無であると云ってもいいのである。私のようなものでなくても、下車後にこれくらいの時を浪費しないという保証をしうる人が何人あるか疑わしい。

このような事はおそらく分りきった事であって、誰れでも知りきっている事でなければならない。それにもかかわらず、大多数の東京市内電車の乗客は、長い休止の後に来る最初の満員電車に先を争って乗らなければ気が済まないように見える。これは自分のようなものにはほとんど了解のできない心持であるが、しかしよく考えてみると、これがあるいは我国民性の何かの長所と因縁があるかもしれない。例えば日本人が戦争に強いというような事実とどこかで聯関《れんかん》しているのかもしれない。あるいはまたいわゆる現代思想と称せらるる漠然《ばくぜん》としたもののなんらかの具象的発現であるかもしれない。これについては軽率な批判を避けなければならない。

しかしここで私の考えてみたいと思う事は、そういう大多数の行為の是非の問題ではなくて、そういう一般乗客の傾向から必然の結果として起る電車混雑の律動に関する科学的あるいは数理的の問題である。

問題を簡単にするために、次のような場合を考えてみる。すなわち、ある終点からある一定時間ごとに発車する電車が、皆一様な速度で進行し、また途中の停留所でも一定時間だけ停車するように規定されたとする。もしこの規定が完全に実行されれば、その線路の上の任意の一点を電車が相次いで通過する時間間隔は、やはりどれも同一でなければならない。しかるに実際上は、避くべからざる雑多の複雑な偶然的原因のために、この一定であるべき間隔に少しずつの異同を生じ、理想的には例えばTであるべき間隔が $T+\Delta T$ となる。このΔTは正負大小種々であって、いわゆるガウスの誤差方則、または類似の方則によって分布されるものであろう。平たく云えば早すぎるのや遅すぎるのがいろいろに錯綜交代《さくそうこうたい》してくるわけである。それにかかわらず平均の間隔はやはりTである事はもちろんである。すなわちΔTの総和は零になるわけである。

ある停留所に電車が到着する時刻の齟齬《そご》の状況は、もし箇々の車の速度ならびに停留時間の平均誤差が与えられれば、容易に計算する事ができるが、要するに出発点からの距離が大きくなるほど大きくなるのは明である。だいたいにおいては出発点からの距離の平方根に比例すると見て大差はあるまい。

大小種々な時間誤差ΔTがどういう順序に相次いで起るかという事もやはりまた一種の「偶然の方則」に支配される。この方則はあまり簡単でないがまずだいたいにおいては平均三台目か四台目ごとに目立って早すぎるものあるいは遅すぎるものが来る事になるのである。

以上は乗客という因子を全然度外視しての議論であるが、次にこの因子を考慮に加えると、どうなるかという問題に移る。

乗客が単位時間内に一つの停留所に集まってくる割合は、だいたいにおいてはそれぞれの時刻と場所によりおのおの一定の平均値（例えばn）があって、実際上はやはりその平均値の近くに偶然的変異を示すものと考えても不都合はない。そうすると一つの電車が収容すべき人数は、平均上、すぐ前の電車甲がそこを発車してからの経過時間に比例するものと考えてもいい。それでもし甲の電車が平均よりaだけ早く出た後に来た乙電車がbだけ遅く発車すると、乙電車は平均よりも$n(a+b)$だけ多くの人を収容しなければならない事になる。

あまり詳しい計算等は略して、ごく概略に考えても、要するに少しおくれて停留所に来た車は、少し早めにそこに来た車よりも統計的に多数の乗客を収容しなければならない事は明である。

もちろん下車する人の事も考えなければならないが、今の問題にはこれを抽《ぬ》き去って考える。

そこでこのようにして生じる乗客数の多少が電車の停留時間にいかなる影響を及ぼすかを次に考えてみる。乗客が多ければ多いほどこれは長くなる。たとえそれがみんな大人しい紳士ばかりであっても、乗込みに要する時間は人数と共に増す。もし下車する人を待たずに無理に押し入ろうとしたり、あるいは車掌と争ったりするようだとさらに停車時間は延長される。このようにして停留時間の延長した結果はどうであるか。

これは、云うまでもなくこの乙電車が次の停留所に着すべき時間を後らせる。したがって次の停留所でその遅刻のためによけいに収容しなければならない前述の nb の数を増加させる。その結果はさらに循環的に、その次の停留所に着く時刻を後らせる、and so on で、この乙電車の混雑はだんだんに増すばかりである。最も簡単な理想的の場合だと、停車回数に等しい冪数《べきすう》で収容人数が増加するわけである。実際には車の容量に制限されるから、そう無制限には増さないだろうが、ともかくも、「込んだ車はますます込むような傾向をもつ」という結論にはたいした誤謬《ごびゅう》はないはずである。

この呪われた乙電車の次に来る丙電車はどうであるか、この丙電車が第一の停留所に来る時刻が規定の時間どおりであったとすると、前の乙電車が b 時間おくれてくれたお蔭《かげ》で、平均よりは nb だけ少い人数を収容すればよいことになる。もしこの丙電車が規定より c 時間後れたとしても、乙が後れなかった場合よりはやはり nb だけ過剰収容数が減るわけである。もし丙が規定より c だけ早ければ、この電車は $n(b+c)$ だけ少い人数を収容しただけで発車ができる。この結果はどうなるか。これは明に乙丙電車の間隔をしだいしだいに減少し、したがって乙の混雑と丙の空虚をますます著しくする事に帰着していくのである。

長い線路の上にはじめ等間隔に配列された電車が、運転につれて間隔に不同を生じる。そうして後れるものと進むものとが統計上三または四の平均週期で現われるとすると、若干時の後に実現される運転状況は、私がこの篇の初めに記述したとだいたい同じようになるわけである。すなわち三、四台の週期で、著しい満員車が繰返され、それに次ぐ二、三台はこれに踵《きびす》を接して、だんだんに空席の多いものになる。そうして再び長い間隔を置いて、また同じ事が繰返されるのである。

以上は、事柄をできるだけ簡単に抽象して得られた理論上の結果である。実際上は、以上のほかになお併せ考えるべき幾多の因子の多数にある事はもちろんである。しかし以上の考察はこれら因子中の最も重要なるものに関したもので、これからの結論がだいたいにおいて事実とあまりに懸隔したものではないという事も許容されるだろうと信じる。

私はこのような考を正す目的で、時々最寄《もよ》りの停留所に立って、懐中時計を手にしては、そこを通過する電車のトランシットを測ってみた。その一例として去る六月十九日の晩、神保町《じんぼうちょう》の停留所近くで八時ごろから数十分間巣鴨《すがも》三田《みた》間を往復する電車についてで行った観測の結果を次に掲げてみよう。表中の時刻は、同停留所から南へ一町ぐらいの一定点を通過する時を読んだものである。時間の下に附した符号は乗客の多少を示すもので、これはほんの見当だけのものである。○はいわゆる普通の満員、△

時　分	南　　行	五分間車数	北　　行	五分間車数
7　55		0	時 分 秒 7 55 40 ○ 58 18 ○	2
8　0		0	8 0 0 △ 2 31 × 3 43 ○	3
5	時 分 秒 8 6 43 ◎ 8 16 ○ 8 54 △ 9 27 ×	4	7 23 ○ 9 50 △	2
10	12 35 ×	1	12 32 ×	1
15	15 43 △ 16 19 × 16 31 ×× 17 24 × 18 55 ×	5	19 34 ○	1
20	22 0 × 23 15 × 24 35 ×	3	20 52 × 21 48 ×× 23 28 ×	3
25	29 30 △	1	27 18 ○ 28 28 ×× 29 21 ○	3
30	30 23 × 32 45 × 34 33 △	3	33 44 ×	1
35	36 36 ○ 37 31 × 38 22 ×	3	38 34 △ 39 5 ××	2
40	五分間平均　2.2		平均　2.0	

は座席はほぼ満員だが釣革は大部分空いている程度、×は空席の多いいわゆるガラアキのものである。◎は極端な満員、××は二、三人ぐらいしかいないものを示す。

この表で見ると、例えば五分ごとに通る車数はかなりの変化があるにかかわらず、その平均数は北行南行共にほぼ同様で、約二分半に一台の割合である。しかし実際の箇々の時間間隔は、南行の最初における十一分三秒プラスという極端から、わずか十二秒という短い極端まで変化している。しかして多少の除外例はあるにしても、だいたいにおいて長い間隔の後には比較的混雑した車が来る事、短い間隔の後には空いた車の来る事が分るだろう。

今これら各種の間隔の頻度《フリクエンシー》について統計してみると次のとおりである。

四分以上	4回	二分以下	23回
三分以上	9回	一分以下	11回
二分以上	15回	四十秒以下	5回

これで分るように、間隔の回数から云うと、長い間隔の数はいったいに少くて、短いものが多い。全体三十八間隔の中で、四分以上のものは四回、すなわち全体の約一割ぐらいのものである。しかしここで誤解してならない事は、乗客がこれらの長短間

隔のいずれに遭遇する機会《チャンス》が多いかという問題となると、これは別物になるのである。この点を明にするには、各間隔の回数に、その間隔の時間を乗じた積の和を比較してみなければならない。今試に間隔を一分ごとに区別分類して、各区分内の間隔回数にその区分の平均時間数を乗じたものの和を求めてみると、仮りに五分以上の間隔を度外視して計算してみても、二分以下のものに対して二分以上五分までのもののこの積分の比は二三・五と四六・五すなわち約一と二の比になる。もしこれに時々起る五分以上の間隔を加えて計算すると、この懸隔はさらに著しくなる。

これは何を意味するか。

箇々の乗客が全く偶然的に一つの停留所に到着した時に、ある特別な間隔に遭遇すると云う確率《プロバビリティ》は、あらゆる種類の間隔時間とその回数との相乗積の総和に対するその特別な間隔の回数と時間との積の比で与えられる。それで例えば前の例について云えば二分以下の間隔に飛び込む機会は三度に一度で、二分以上五分までの長い間隔にぶつかる方は三度に二度の割合になる。実際は五分以上のものが勘定に加わるからおそらくこの割合は四度に三度ぐらいになる場合が多いだろうと思われる。(停留所で待つ時間の確率を論じるには、もう少し立入る必要があるが、これは略して述べない。) 以上はただ一例にすぎないが、私の観測したその他の場合にも、だいたいこれと同様な趨勢《すうせい》が認められるのである。

それでともかくも、全く顧慮なしにいつでも来かかった最初の電車に飛び乗る人にとっては、空いたのにうまく行逢《ゆきあ》う機会が少くて、込んだのに乗る機会が著しく多い。そういう経験の記憶が自然に人々の頭に滲《し》み込む。おそらく込み合っていた多数の場合の記憶は、稀《まれ》に空いていた少数の場合の記憶よりも強く印銘せられるとすると、以上の比例の懸隔は、心理的に変化を受け、必ず幾分か誇張されて頭に残るかもしれない。したがって多くの人はついつい空いた電車の存在を忘れて、すべてのものが満員であるような印象をもつ事になるかもしれない。

この最後の点は不確《ふたしか》だとしても、次の結論は免れがたい、すなわち「来かかった最初の電車に乗る人は、空いた車に逢う機会よりも込んだのに乗る機会の方がかなりに多い」。

このようにして、込んだ車にはますます多くの人が乗るとすれば、この電車はますます規定時間よりも後れるために、さらにまた混雑を増す勘定である。

これを詮じつめると最後に出てくる結論は妙なものになる。すなわち「第一に、東京市内電車の乗客の大多数は――たとえ無意識とはいえ――自ら求めて満員電車を選んで乗っている。第二には、そうすることによって、自らそれらの満員電車の満員混雑の程度をますます増進するように努力している」。

これは一見パラドクシカルに聞えるかもしれないが、以上の理論の当然の帰結としてどうしてもやむを得ない事である。もしこれがおかしいと思われるなら、それは私の議論がおかしいのではなくて、そういう事実がおかしいのであろう。

それでもしこのような片寄りがちの運転状況を避けて、もう少し均等な分配を得たいというならば、そのために採るべき方法は理論上からは簡単である。第一には電車の車掌なり監督なりが、定員の励行を強行する事も必要であるが、それよりも、乗客自身が、行き当った最初の車にどうでも乗るという要求を幾分でも扣《ひか》えて、三十秒ないし二分ぐらいの貴重な時間を犠牲にしても、次の空いた電車に乗るような方針をとるのが捷径《しょうけい》である。これがために失われた三十秒ないし二分の埋合せはおそらく目的地に着く前にすでについてしまいそうに思われる。

しかし満員電車を嫌うか好くかは「趣味」の問題であろうから、多数の乗客がもし満員電車に先を争って乗る事に特別な興味と享楽を感じるならば、それは致し方がない。その趣味の是非を論じるための標準は数理や科学からは求められない。

昔は、人に道を譲り、人と利福を分つという事が美徳の一つに数えられた。今ではそれはどうだか分りかねる。しかしそういう美徳の問題等はしばらく措《お》いて、単に功利的ないし利己的の立場から考えても、少くも電車の場合では、満員車は人に譲って、一歩おくれて空いた車に乗る方が、自分のためのみならず人のためにも便利であり「能率」のいい所行であるように思われる。少くも混雑に対する特別な「趣味」をもたない人々にとってはそうである。

これは余談ではあるが、よく考えてみると、いわゆる人生の行路においても存外この電車の問題とよく似た問題が多いように思われてくる。そういう場合に、やはりどうでも最初の満員電車に乗ろうという流儀の人と、少し待っていて次の車を待ち合せようという人との二通りがあるように見える。

このような場合には事柄があまりに複雑で、簡単な数学などは応用する筋道さえ分らない。したがって電車の場合の類推がどこまで適用するか、それは全く想像もできない。したがってなおさらの事この二つの方針あるいは流儀の是非善悪を判断する事は非常に困難になる。

これはおそらく誰にもむつかしい問題であろう。おそらくこれも議論にはならない「趣味」の問題かもしれない。私はただついでながら電車の問題とよく似た問題が他にもあるという事に注意を促したいと思うまでである。

（大正十一年九月）

怪異考

物理学の学徒としての自分は、日常普通に身辺に起る自然現象に不思議を感ずる事は多いが、古来のいわゆる「怪異」なるものの存在を信ずる事はできない。しかし昔から吾々の祖先が多くの「怪異」に遭遇しそれを「目撃」してきたという人事的現象としての「事実」を否定するものではない。吾々の役目はただそれらの怪異現象の記録を現代科学上の語彙《ごい》を借りて翻訳するだけの事でなければならない。この仕事はしかしはなはだ困難なものである。錯覚や誇張さらに転訛《てんか》のレンズによってはなはだしく歪《ゆが》められた影像からその本体を云い当てなければならない。それを的確に成効しうるためにはそのレンズに関する方則を正確に知らなければならない、のみならず、またその箇々の場合における決定条件として多様の因子を逐一に明《あきら》かにしなければならない。この前者の方則については心理学の方から若干の根拠は供給されるとしても、後者に関する資料はほとんどすべての場合において永久に失われている。したがって本当に科学的な推定を下すということはほとんど望みがたいことである。ただできうる唯一の方法としては、あるだけの材料から、科学的に合理的な一つの「可能性」を指摘するにすぎない。もっともこの可能性が非常に多様であれば、その中の二、三を指摘してみても、それは結局なんらの価値もない漫談となってしまうであろうが、多くの場合に必しもそうとは限らない。ことにある一種の怪異に関する記録が豊富にあればあるほど、この可能性の範囲はかなりまで押し狭められる。したがってやや「もっともらしい仮説」というまでには漕《こ》ぎつけられる見込みがあるのである。そこまで行けば、それはともかくも一つの仮説として存在する価値を認めなければならず、また実際科学者達にある暗示を提供するだけの効果をもつ事もありうるであろうと思われる。

そういう意味で自分が従来多少興味をもっている怪異が若干ある。しかしこれを正当に研究するためにまず少くも一通りは関係文献を古書の中から拾い集めてかかる必要がある。それは到底今の自分には急にできそうもない。それかといっていつになったらそれができるという確な見込みも立たない。

それで、ただここにはほんの一つの空想、ただし多少科学的の考察に基《もとづ》いた空想あるいは「小説」を備忘録として書き留めておく。もしこれらの問題に興味をもつ本当の考証家があればありがたいと思うまでである。

その一

その怪異の第一は、自分の郷里高知《こうち》附近で知られている「孕《はらみ》のジャン」と称するものである。孕は地名で、高知の海岸に並行する山脈が浦戸湾《うらどわん》に中断されたその両側の突端の地とその海峡とを込めた名前である。この現象については、最近に、土佐《とさ》郷土史の権威として知られた杜山居士《とざんこじ》寺石正路《てらいしまさみち》氏が雑誌「土佐史壇」第十七号に「郷土史断片」其三〇として記載されたものがある。『(前略)昔は大分評判の事であったが、此の頃は全く其の沙汰《さた》がない、根拠の無き話かと思えば、土佐今昔物語という書に、沼澄《ぬまずみ》(鹿持雅澄翁《かもちまさずみおう》)の名を以《もっ》て左の通り記されて居る。

　孕の海にジャンと唱うる希有《けう》のものありけり、誰しの人も未だ其形を見たるものなく、其物は夜半にジャーンと鳴響きて海上を過行なりけり、漁業をして世を渡るともがらが、夜半に小舟浮べて、あるは釣を垂れ、或は網を打ちて幸《さち》多かるも、このも《sic》海上を行過れば忽に魚騒ぎ走りて、時を移すとも其夜は又幸なかりけり、高知ほとりの方言に、ものの破談に成りたる事をジャンになりたりというも、此海上行過るものより出たることとなん語り伝えたりとや。

此の文は鹿持翁の筆なれば大凡《おおよそ》小百年前のことにして孕のジャンは此程の昔よりも已《すで》に其の伝があったことが知れる（後略）。』寺石氏はこのジャンの意味の転用に関する上記の説の誤謬《ごびゅう》を指摘している。また終に諏訪湖《すわこ》の神渡りの音響の事を引き、孕のジャンは『何か微妙な地の震動に関したことではあるまいか』と述べておられる。

私は幼時近所の老人からたびたびこれと同様な話を聞かされた。そしてもし記憶の誤りでなければ、このジャンの音響と共に「水面に漣《さざなみ》が立つ」という事が上記の記載に附加されていた。

この話を導出しそうな音の原因に関する自分のはじめの考は、もしや昆虫かあるいは鳥類の群が飛び立つ音ではないかと思ってみたが、しかしそれは夜半の事だというし、また魚が釣れなくなるという事が確実とすれば単に空中の音波のためとは考えにくいと思われた。ところが先年筑波山《つくばさん》の北側の柿岡《かきおか》の盆地へ行った時に彼地には珍しくない「地鳴」の現象を数回体験した。その時に自分は全く神来的に「孕のジャンはこれだ」と感じた。この地鳴の音は考え方によってはやはりジャーンとも形容されうる種類の雑音であるし、またその地盤の性質、地表の形状や被覆物の種類によっては一層ジャーンと聞えやすくなるであろうと思われうるたちのものである。そして明に一方から一方へ「過行く」音で、それが空中ともなく地中ともなく過ぎ去っていくのは実際他に比較するもののない奇異の感じを起させるものである。ちょうど自分が観測室内にいた時に起った地鳴の際には、磁力計の頂上に付いている管が共鳴してその頭が少くも数ミリほど振動するのを明に認める事ができたし、また山中で聞いた時は立っている靴《くつ》の底に明にきわめて短週期の震動を感じた。これだけの振動があれば、適当な境界条件の下に水面の漣を起しうるはずであるし、また水中の魚類の耳石等にもこれを感じなければならないわけである。もっとも、魚類がこの種の短週期弾性波に対してどう反応するかについて自分はあまりよく知らないが、これだけの振動に全然無感覚であろうとは想像しがたい。

地鳴の現象については、我邦《わがくに》でもすでに大森《おおもり》博士らによっていろいろ研究された文献がある。その本当の原因的機巧は未《いま》だよく分らないが、要するに物理的には全くただ小規模の地震であって、それが小局部にかつ多くは地殻表層《ちかくひょうそう》に近く起るというにすぎないであろうと判断される。

もし「孕のジャン」として知られた記録どおりの現象が、実際にあったものと仮定し、またこれが筑波《つくば》地方《ちほう》の地鳴と同一系統の地球物理学的現象であると仮定すると、それから多少興味のある地震学上のスペキュレーションを組立てる事ができる。

ジャンの記録はすでに百年前にはある。もっともこの記録では、当時これが現存したものか、あるいは過去の事として書いたものか、あまり判然とはしない。そしてとにかく吾々の現時はないと云われている。自分の幼時にこの事を話した老人は現に自分でこれを体験したかのごとく話したが、それは疑わしいとしても、この老人の頭の若かった時代にこの話しがかなりの生々しい色彩をもって流布されていた事は確《たし》からしい。

土佐における大地変の最初の記録としては、西暦六八四年天武《てんむ》天皇の時代の地震で、土地五十万頃《けい》が陥落して海となったという記録があり、それからずっと後には慶長《けいちょう》九年（一六〇四）と宝永《ほうえい》四年（一七〇七）ならびに安政《あんせい》元年（一八五四）とこの三回の大地震が知られており、このうちで、後の二回には、海浜の地帯に隆起や沈降のあった事が知られている。さて、これらの大地震によって表明される地殻《ちかく》の歪《ひずみ》は、地震のない時でも、常にどこかに、なんらかの程度に存在しているのであるから、もし適当な条件の具備した局部の地殻があればそこに対し小規模の地震、すなわち地鳴の現象を誘起しても不思議はないわけである。そして、それがある時代には頻繁《ひんぱん》に現われ、他の時代にはほとんど現われなくなったとしても、それほど不思議な事とは思われない。

今問題の孕の地形を見ると、この海峡は、五万分の一の地形図を見れば、何人《なんぴと》も疑う余地のないほど明瞭《めいりょう》な地殻の割目である。すなわち東西に走る連山が南北に走る断層線で中断されたものである。さらにまたこの海峡の西側に比べると東側の山脈の脊《せき》梁《りょう》は明に百メートルほどを沈下し、その上に、南の方に数百メートルもずれ動いたものである事が分る。もっともこの断層の生成、これに伴う沈下や辷《[滑]》動の起った時代は、おそらく非常に古い地質時代に属するもので、その時の歪が現在まで残っていようとは信ぜられない。しかしそのような著しい地殻の古疵《ふるきず》が現在の歪に対して時々過敏になりうるであろうと想像するのは単に無稽《むけい》な空想とは云われないであろう。

それで問題の怪異の一つの可能な説明としては、これは、ある時代、おそらくは宝永地震後、安政地震のころへかけて、この地方の地殻に特殊な歪を生じたために、表層岩石の内部に小規模の地辷《じすべ》りを起し、したがって地鳴の現象を生じていたのが、近年に至ってその歪が調整されてもはや変動を起さなくなったのではないかという事である。

この作業仮説の正否を吟味しうるためには、吾々は後日を待つほかはない。もし他日この同じ地方に再び頻繁《ひんぱん》に地鳴を生ずるような事が起れば、その時にはじめてこの想像が確められる事になる。しかしそれまでにどれほどの歳月が経つであろうかという事については全く見当がつかない。ただ漠然《ばくぜん》と、上記三つの大地震の年代差から考えて、今後数十年ないし百年の間に起りはしないかと考えられる強震が実際起るとすれば、その前後に何事かありはしないかという暗示を次の代の人々に残すだけの事である。しかしもし現代の読者のうちでこれと類似の怪異伝説あるいは地鳴の現象についてなんらかの資料を教えてくれる人でもあれば望外の幸である。

その二

次に問題にしたいと思う怪異は「頽馬《たいば》」「提馬風《たいばふう》」また濃尾《のうび》地方で「ギバ」と称するもので、これは馬を襲ってそれを斃死《へいし》させる魔物だそうである。これに関する自分の知識はただ、磯清《いそきよし》氏著「民俗怪異篇」によって得ただけであって、特に自分で調べたわけではないが、近ごろ偶然この書物の記事を読んだ時に、考えついた一つの仮説がある。それは、この怪異はセントエルモの火、あるいはこれに類似の空中放電現象と聯関したものではないかという事である。

右の磯氏の記述によるとこのギバの現象には二説ある。その一つによると旋風のようなものが襲来して、その際に「馬の鬣《たてがみ》が一筋一筋に立って、その鬣の中に細い糸のような紅《あか》い光がさし込む」と馬は間もなく死ぬ、そのとき、もし「すぐと刀を抜いて馬の行手を切り払う」と、その風が外れていって馬を襲わないというのである。もう一つの説によると、「玉虫色の小さな馬に乗って、猩々緋《しようじようひ》のようなものの着物を着て、金の瓔珞《ようらく》を戴《いただ》いた」女が空中から襲ってきて「妖女《ようじよ》はその馬の前脚をあげて被害の馬の口に当てて後脚を耳から鬣にかけて踏みつける、つまり馬面にひしと組みつくのである」。この現象は短時間で消え馬は斃《たお》れるというのである。この二説は磯氏も注意されたように相互に類似している。これを科学的な眼で見ると要するに馬の頭部の近辺にある異常な光の現象が起るというふうに解釈される。

次に注意すべきは、この怪異の起る時の時間的分布である。すなわち「濃州《のうしゆう》では四月から七月までで、別して五、六月が多いという。七月になりかかると、秋風が立初める、とギバの難は影を隠してしまう。武州《ぶしゆう》常州《じようしゆう》あたりでもやはり四月から七月と謂っている」。また晴天には現われず、「晴れては曇り曇っては晴れる、村雲などが出たり入ったりする日に限って」現われるとある。また一日じゅうの時刻については「朝五つ時前（午前八時）、夕七つ時過（午後四時）にはかけられない、多くは日盛りであると謂う」とある。

またこの出現するのに自ら場所が定まっている傾向があり、例えば一里塚《いちりづか》のような処の例が挙げられている。

もう一つ参考になるのは、馬をギバの難から救う方法として、これが襲いかかった時に、半纏《はんてん》でも風呂敷《ふろしき》でも莚《むしろ》でも、そういうものを馬の首から被《かぶ》せるといいということがある。もちろん、その上に、尾の上の脊骨《せぼね》に針を打ち込んだりするそうであるが、このようにものを被せる事が「針よりも大切な禁厭《まじない》」だと考えられている。またこれと共通な点のあるのは、平生のギバ除《よ》けの禁厭として、馬に腹当てをさせるとよい、ただしそれは『大津東町上下仕合』と白く染めぬいたものを用いる。「このアブヨケをした馬がギバにかけられて斃れたのを見た事がないと、謂われている」。

別の説として美濃《みの》では「ギバは白虻《しろあぶ》のような、眼にも見えない虫だという説がある、また常陸《ひたち》ではその虫を大津虫と呼んでいる。虫は玉虫色をしていて足長蜂《あしながばち》に似ている」という記事もある。

以上の現象の記述には、なんらか事実に基いたものがあるという前提を置いて、さて何かこれに類似した自然現象はないかと考えてみると、まず第一に旋風が考えられる。もし旋風のためとすればそれは馬が急激な気圧降下のために窒息でもするか内臓の障害でも起すのであろうかと推測される。しかしそれだけであってこのギバの他の属性に関する記述とはなんら著しい照応を見ない。もっとも旋風は多くの場合に雷雨現象と聯関して起るから、その点で後に述べる時間分布の関係から云って多少この説に有利な点はある。しかしいわゆる光の現象やまた前述の禁厭の意味は全くこれでは説明されない。

これに反して、ギバがなんらかの空中放電によるものと考えると、鬣が立ち上ったり、光の線条が見えたり、玉虫色の光が馬の首を包んだりする事が、全部生きた科学的記述としての意味をもってくる。また衣服その他で頭を被《おお》い、また腹部を保護するという事は、つまり電気の半導体で馬の身体の一部を被覆して、放電による電流が直接にその局部の肉体に流れるのを防ぐという意味に解釈されてくるのである。

またこういう放電現象が夏期に多い事、および日中に多い事は周知の事実であるので、前述の時間分布は、これときわめてよく符合する事になる。

場所の自ら定まる傾向については、自分は何事も具体的のことをいうだけの材料を持合せないが、これも調べてみたら、おそらく放電現象の多い場所と符合するようなことがありはしないかと想像される。

しかしこの仮説にとって重大な試金石《しきんせき》となるものは、馬のこの種の放電に対する反応いかんである。すなわち人間にはなんらの害を及ぼさない程度の放電によって馬が斃死《へいし》しうるかどうかという事である。これについてはおそらくすでに文献もある事と思われるが、自分はまだよく承知していない。ただ馬が特に感電に対して弱いものであるという事だけは馬に関する専門家に聞いて確める事ができた。なおこれについては高圧電源を用いていくらも実験する事が可能であり、またすでにいくらかは実験された事かもしれない。しかし実験室で、ある指定された条件の下において行われた実験が必しも直接に野外の現象に適用されるかどうかは疑わしい。結局は実際の野外における現象の正確な観察を待つ必要がある。

ギバの現象が現時においてもどこかの地方で存在を認められているか。もしいるとすればこれに遭遇したという人の記述をできるだけ多く蒐集《しゅうしゅう》したいものである。読者の中でもしなんらかの資料を供給されるならば大幸である。

（この「怪異考」は機会があらば、あとを続けたいという希望をもっている。

昭和二年十月四日）

化物の進化

人間文化の進歩の道程において発明され創作されたいろいろの作品の中でも「化物」などは最も優れた傑作と云わなければなるまい。化物もやはり人間と自然の接触から生れた正嫡子であって、その出入する世界は一面には宗教の世界であり、また一面には科学の世界である。同時にまた芸術の世界ででもある。

いかなる宗教でもその教典の中に「化物」の活躍しないものはあるまい。化物なしにはおそらく宗教なるものは成立しないであろう。もっとも時代の推移に応じて化物の表象は変化するであろうが、その心的内容においては永久に同一であるべきだと思われる。

昔の人は多くの自然界の不可解な現象を化物の所業として説明した。やはり一種の作業仮説である。雷電の現象は虎《とら》の皮の褌《ふんどし》を着けた鬼の悪ふざけとして説明されたが、今日では空中電気と称する怪物の活動だと云われている。空中電気というと分ったような顔をする人は多いがしかし雨滴の生成分裂によっていかに電気の分離蓄積が起り、いかにして放電が起るかは専門家にも未《いま》だよくは分らない。今年のグラスゴーの科学者の大会でシンプソンとウィルソンと二人の学者が大議論をやったそうであるが、これはまさにこの化物の正体に関する問題についてであった。結局はただ昔の化物が名前と姿を変えただけの事である。

自然界の不思議さは原始人類にとっても、二十世紀の科学者にとっても同じくらいに不思議である。その不思議を昔我らの先祖が化物へ帰納したのを、今の科学者は分子原子電子へ持っていくだけの事である。昔の人でもおそらく当時彼らの身辺の石器土器を「見る」と同じ意味で化物を見たものはあるまい。それと同じようにいかなる科学者でも未だ天秤《てんびん》や試験管を「見る」ように原子や電子を見た人はないのである。それで、もし昔の化物が実在でないとすれば今の電子や原子も実在ではなくて結局一種の化物であると云われる。原子電子の存在を仮定する事によって物理界の現象が遺《い》憾《かん》なく説明し得られるからこれらが物理的実在であると主張するならば、雷神の存在を仮定する事によって雷電風雨の現象を説明するのとどこがちがうかという疑問が出るであろう。もっとも、これには明らかな相違の点がある事はここで改まって云うまでもないが、しかしまた共通なところもかなりにある事は争われない。ともかくもこの二つのものの比較は吾々《われわれ》の科学なるものの本質に関する省察の一つの方面を示唆する。

雷電の怪物が分解して一半は科学の方へ入り一半は宗教の方へ走っていった。すべての怪異も同様である。前者は集積し凝縮し電子となりプロトーンとなり、後者は一つにかたまり合って全能の神様になり天地の大道となった。そうして両者共に人間の創作であり芸術である。流派がちがうだけである。

それゆえに化物の歴史は人間文化の一面の歴史であり、時と場所との環境の変化がこれに如実に反映している。鎌倉《かまくら》時代の化物と江戸時代の化物を比較し、江戸の化物とロンドンの化物を比較してみればこの事はよく分る。

前年誰か八頭の大蛇《だいじゃ》とヒドラのお化けとを比較した人があった。近ごろにはインドのヴィシヌとギリシアのポセイドンの関係を論じている学者もある。またガニミード神話の反映をガンダラのある彫刻に求めたある学者の考えでは、鷲《わし》がガルダに化けた事になっている。そして面白い事にはその彫刻に現わされたガルダの顔貌《がんぼう》が、我邦《わがくに》の天狗《てんぐ》大和尚《だいおしょう》の顔によほど似たところがあり、また一方ではジャヴァのある魔神によく似ている。また吾々の子供の時から御馴染《おなじみ》の「赤鬼」の顔がジャヴァ、インド、東トルキスタンからギリシアへかけて、いろいろの名前と表情とをもって横行している。また大江山《おおえやま》の酒顚童子《しゅてんどうじ》の話とよく似た話が支那にもあるそうであるが、またこの話はユリシースのサイクロップス退治の話とよほど似たところがある、のみならずこのシュテンドウシがアラビアから来たマレイ語で「恐ろしき悪魔」という意味の言葉に似ており、もう一つ脱線すると源頼光《みなもとのよりみつ》の音読がヘラクレースとどこか似通ってたり、もちろん暗合として一笑に附すればそれまでであるが、さればと云って暗合であるという科学的証明もむつかしいような事例はいくらでもある。ともかくも世界じゅうの化物達の系図調べをする事によって古代民族間の交渉を探知する一つの手掛りとなりうる事はむしろ既知の事実である。そうして言論や文字や美術品を手掛りとするこれと同様な研究よりも一層有力でありうる見込がある。なぜかと云えば各民族の化物にはその民族の宗教と科学と芸術とが綜合《そうごう》されているからである。

しかし不幸にして科学が進歩すると共に科学というものの真価が誤解され、買いかぶられた結果として、化物に対する世人の興味が不正当に稀薄《きはく》になった、今どき本気になって化物の研究でも始めようという人はかなり気が引けるであろうと思う時代の形勢である。

全くこのごろは化物どもがあまりにいなくなりすぎた感がある。今の子供らが御伽《おとぎ》噺《ばなし》の中の化物に対する感じはほとんどただ空想的な滑稽味《こっけいみ》あるいは怪奇味だけであって、吾々の子供時代に感じさせられたように頭の頂上から足の爪先《つまさき》まで突き抜けるような鋭い神秘の感じはなくなったらしく見える。これはいったいどちらが子供らにとって幸福であるか、どちらが子供らの教育上有利であるか、これも存外多くの学校の先生の信ずるごとくに簡単な問題ではないかもしれない。西洋の御伽噺に「ゾッとする」とはどんな事か知りたいという馬鹿者があってわざわざ化物屋敷へ探険に出かける話があるが、あの話を聞いてあの豪傑を羨《うらやま》しいと感ずべきか、あるいは可愛想と感ずべきか、これも疑問である。ともかくも「ゾッとする事」を知らないような豪傑が、仮りに科学者になったとしたら、まずあまりたいした仕事はできそうにも思われない。仕合せな事に吾々の少年時代の田舎《いなか》にはまだまだ化物がたくさんに生き残っていて、そしてそのおかげで吾々は十分な「化物教育」を受ける事ができたのである。郷里の家の長屋に重兵衛《じゅうべえ》さんという老人がいて、毎晩晩酌《ばんしゃく》の肴《さかな》に近所の子供らを膳《ぜん》の向いに坐《すわ》らせて、生《なま》のにんにくをぼりぼりかじりながらうまそうに熱い杯を嘗《な》めては数限りもない化物の話をして聞かせた。想うにこの老人は一千一夜物語の著者のごとき創作的天才であったらしい。そうして伝説の化物新作の化物どもを随意に眼前に躍らせた。吾々の臆病《おくびょう》なる小さな心臓は老人の意のままに高く低く鼓動した。夜更けて帰るおのおのの家路には樹の陰《かげ》、河の岸、路次の奥の到る処にさまざまな化物の幻影が待伏せて動いていた。化物は実際に当時の吾々の世界にのびのびと生活していたのである。中学時代になっても未だ吾々と化物との交渉は続いていた。友人で禿《はげ》のNというのが化物の創作家として衆に秀《ひい》でていた。彼は近所のあらゆる曲り角《かど》や芝地や、橋の袂《たもと》や、大樹の梢《こずえ》やに一つずつきわめて恰好《かっこう》な妖怪《ようかい》を創造して配置した。例えば「三角芝《さんかくしば》の足《あし》舐《ねぶ》り」とか「T橋の袂の腕真砂《うでまさご》」などという類《たぐい》である。前者は河沿のある芝地を空風《からかぜ》の吹く夜中に通っていると、何者かが来て不意にべろりと足を嘗める、すると急に発熱して三日のうちに死ぬかもしれないという。後者は、城山の麓《ふもと》の橋の袂に人の腕が真砂《まさご》のように一面に散布していて、通行人の裾《すそ》を引き止め足をつかんで歩かせない、これに会うとたいていはその場で死ぬというのである。もちろんもう「中学教育」を受けているそのころの吾々は誰れもそれらの化物を吾々の五官に触れうべき物理的実在としては信じなかった。それにかかわらずこの創作家Nの芸術的に描き出した立派な妖怪の「詩」は吾々のうら若い頭に何かしら神秘な雰囲気《ふんいき》のようなものを吹き込んだ、あるいは神秘な存在、不可思議な世界への憧憬《どうけい》に似たものを鼓吹《こすい》したように思われる。日常茶飯《にちじょうさはん》の世界の彼方《かなた》に、常識では測り知りがたい世界がありはしないかと思う事だけでも、その心は知らず知らず自然の表面の諸相の奥に隠れたある物への省察へ導かれるのである。

このような化物教育は、少年時代の吾々の科学知識に対する興味を阻害しなかったのみならず、かえってむしろますますそれを鼓舞したようにも思われる。これは一見奇妙なようではあるが、よく考えてみるとむしろ当然な事でもある。皮肉なようであるが吾々に本当の科学教育を与えたものは、数々の立派な中等教科書よりは、むしろ長屋の重兵衛さんと友人のNであったかもしれない。これは必しも無用の変痴奇論《へんちきろん》ではない。

不幸にして科学の中等教科書は往々《おうおう》にしてそれ自身の本来の目的を裏切って被教育者の中に芽生えつつある科学者の胚芽《はいが》を殺す場合がありはしないかと思われる。実は非常に不可思議で、誰れにも本当には分らない事をきわめて分りきった平凡な事のようにあまりに簡単に説明して、それでそれ以上にはなんの疑問もないかのようにすっかり安心させてしまうような傾きがありはしないか。そういう科学教育が普遍となりすべての生徒がそれをそのまま素直に受け入れたとしたら、世界の科学はおそらくそれきり進歩を止めてしまうに相違ない。

通俗科学などと称するものがやはり同様である。「科学ファン」を喜ばすだけであって、本当の科学者を培養するものとしては、どれだけの効果がはたしてその弊害を償いうるか問題である。特にそれが科学者としての体験を有《も》たない本当のジャーナリストの手によって行われる場合にはなおさらの考えものである。

こういう皮相的科学教育が普及した結果として、あらゆる化物どもは函嶺《はこね》はもちろん日本の国境から追放された。あらゆる化物に関する貴重な「事実」をすべて迷信という言葉で抹殺《まっさつ》する事がすなわち科学の目的であり手柄でもあるかのような誤解を生ずるようになった。これこそ「科学に対する迷信」でなくてなんであろう。科学の目的は実に化物を捜し出す事なのである。この世界がいかに多くの化物によって充《み》たされているかを教える事である。

昔の化物は昔の人にはちゃんとした事実であったのである。一世紀以前の科学者に事実であった事柄が今では事実でなくなった例はいくらもある。例えば電気や光熱や物質に関する我々の考でも昔と今とはまるで変ったと云ってもよい。しかし昔の学者の信じた事実は昔の学者にはやはり事実であったのである。神鳴の正体を鬼だと思った先祖を笑う科学者が、百年後の科学者に同じように笑われないと誰れが保証しうるであろう。

古人の書き残した多くの化物の記録は、昔の人に不思議と思われた事実の記録と見る事ができる。今日の意味での科学的事実では到底有り得ない事はもちろんであるが、しかしそれらの記録の中から今日の科学的事実を掘り出しうる見込のある事はたしかである。

そのような化物の一例として私は前に「提馬風《たいばふう》」のお化けの正体を論じた事がある。

その後に私の問題となった他の例は「鎌鼬《かまいたち》」と称する化物の事である。

鎌鼬の事はいろいろの書物にあるが、「伽婢子《おとぎぼうこ》」という書物によると、関東地方にこの現象が多いらしい、旋風が吹きおこって「通行人の身にものあらくあたれば股《もも》のあたり竪《たて》さまにさけて、剃刀《かみそり》にて切たるごとく口ひらけ、しかも痛みははなはだしくもなし、また血は少しも出ず、云々《うんぬん》」とあり、また名字正しき侍にはこの害なく卑賤《ひせん》の者は金持でもあてられるなどと書いてある。ここにも時代の反映が出ていて面白い。

雲萍雑誌《うんぴょうざつし》には「西国方《さいごくがた》に風鎌《かざかま》というものあり」としてある。この現象については先年

我邦のある学術雑誌で気象学上から論じた人があって、その所説によると旋風の中では気圧がはなはだしく低下するために皮膚が裂けるのであろうと説明してあったように記憶するが、この説は物理学者には少し腑《ふ》に落ちない。たとえかなりな真空になってもゴム球か膀胱《ぼうこう》か何かのように脚部の破裂する事はありそうもない。これは明に強風のために途上の木竹片あるいは砂粒のごときものが高速度で衝突するために皮膚が截断《せつだん》されるのである。旋風内の最高風速はよくは分らないが毎秒七、八十メートルを超える事も珍しくはないらしい。弾丸の速度に比べれば問題にならぬが、玩具《おもちゃ》の弓で射た矢よりは速いかもしれない。数年前アメリカの気象学雑誌に出ていた一例によると、麦藁《むぎわら》の茎が大旋風に吹きつけられて堅い板戸に突きささって、ちょうど矢の立っ

たようになったのが写真で示されていた。麦藁が板戸に穿入《せんにゅう》するくらいなら、竹片が人間の肉を破ってもたいして不都合はあるまいと思われる。下賤《げせん》の者にこの災《わざわい》が多いというのは統計の結果でもないから問題にならないが、しかし下賤の者の総数が高貴な者の総数より多いとすれば、それだけでもこの事は当然である。その上にまた下賤のものが脚部を露出して歩く機会が多いとすればなおさらの事である。また関東に特別に旋風が多いかどうかはこれも十分な統計的資料がないから分らないが、小規模のいわゆる「塵旋風《ちりせんぷう》」は武蔵野《むさしの》のような平野に多いらしいから、この事も全く無根ではないかもしれない。

　怪異を科学的に説明する事に対して反感を懐《いだ》く人もあるようである。それはせっかくの神秘なものを浅薄《せんぱく》なる唯物論者の土足に踏みにじられると云ったような不快を感じるからであるらしい。しかしそれは僻見《へきけん》であり誤解である。いわゆる科学的説明が一通りできたとしても実はその現象の神秘は少しも減じないばかりでなくむしろますます深刻になるだけの事である。例えば鎌鼬《かまいたち》の現象が仮りに前記のような事であるとすれば、本当の科学的研究は実はそこから始まるので、前に述べた事はただ問題の構成《フォーミュレーション》であって解決《ソリューション》ではない。またこの現象が多くの実験的数理的研究によって、いくらか詳しく分ったとしたところで、それからさきの問題は無限である。そうして何の何某《なにがし》が何日にどこでこれに遭遇するかを予言する事はいかなる科学者にも永久に不可能である。これをなしうるものは「神様」だけである。

「鸚鵡石《おうむいし》」という不思議な現象の記事を、輶軒小録《ゆうけんしょうろく》、提醒紀談《ていせいきだん》、笈埃随筆《きゅうあいずいひつ》等で散見する。これは山腹に露出した平滑な岩盤が適当な場所から発する音波を反響させるのだという事は今日では小学児童にでも分る事である。岩面に草木があっては音波を擾乱《じょうらん》するから反響が十分でなくなる事も多くの物理学生には明である。しかしこれらの記録中で面白いと思わるるのは、ある書では笛の音がよく反響しないとあり、他書には鉦鼓《かね》鈴のごときものがよく響かないとある事である。笈埃随筆では「この地は神跡だから仏具を忌むので、それで鉦や鈴は響かぬ」と云う説に対し、そんな馬鹿な事はないと抗弁し「それならば念仏や題目を唱えても反響しないはずだのに、反響するではないか」などという議論があり、結局五行説《ごぎょうせつ》か何かへ持っていって無理に故事《こじ》つけているところが面白い。五行説は物理学の卵子であるとも云われる。これについて思出すのは十余年前の夏大島《おおしま》三原《みはら》火山《かざん》を調べるために、あの火口原の一隅《いちぐう》に数日間の天幕《テント》生活をした事がある。風のない穏かなある日あの火口丘の頂に立って大きな声を立てると前面の火口壁から非常に明瞭《めいりょう》な反響が聞えた。面白いので試みにアー、イー、ウー、エー、オーと五つの母音を交互に出してみると、ア、オなどは強く反響するのにイヤエは弱く短くしか反響しない。これはたぶん後の母音は振動数の多い上音《オバートーン》に富むため、またそういう上音《オバートーン》はその波長の短いために吸収分散が多く結局全体としての反響の度が弱くなるからではないかと考えてみた事がある。ともかくもこの事と、鸚《おう》鵡石《むいし》で鉦や鈴や調子の高い笛の音の反響しないという記事とは相照応する点がある。しかしこれも本式に研究してみなければよくは分らない。

近ごろは海の深さを測定するために高周波の音波を船底から海水中に送り、それが海底で反響するのを利用する事が実行されるようになった。これを研究した学者達が、どの程度まで上記の問題に立入ったか私は知らない。しかしこの鸚鵡石で問題になった事はこの場合当面の問題となって再燃しなければならないのである。伊勢《いせ》の鸚鵡石にしても今の物理学者が実地に出張して研究しようと思えばいくらでも研究する問題はある。そしてその結果は例えば大講堂や劇場の設計などに何かの有益な応用を見出《みいだ》すに相違ない。

余談ではあるが、二十年ほど前にアメリカの役者が来て、たしか歌舞伎座《かぶきざ》であったかと思うが、「リップ・ヴァン・ウィンクル」の芝居をした事がある。山の中でリップ・ヴァン・ウィンクルが元気よく自分の名を叫ぶと、反響が大勢の声として「リーッウ・ウァーン・ウィーンウール」と調子の低い空虚な気味の悪い声で嘲《あざけ》るように答えるのが、いかにも真に迫って面白かったのを記憶する。これは前述のような理由で音声の音色が変る事と、反射面に段階のあるために音が引延ばされまた幾人もの声になって聞える事と、この二つの要素がちゃんとつかまれていたからである。想うにこの役者は「木魂《こだま》」のお化けをかなりに深く研究したに相違ないのである。

「伽婢子」巻の一二に「大石相戦《おおいしあいたたこう》」と題して、上杉謙信《うえすぎけんしん》の春日山《かすがやま》の城で大石が二つある日の夕方頻《しき》りに躍り動いて相衝突し夜半過まで喧嘩《けんか》をして結局互に砕けてしまった。それから間もなく謙信が病死したとある。これももちろんあまり当にならない話であるが、しかし作りごとにしてもなんらかの自然現象から暗示された作りごとであるかもしれない。私の調べたところでは、北陸道《ほくりくどう》一帯にかけて昔も今も山崩れ地辷《じすべ》りの現象が特に著しい。これについては故神保《じんぼ》博士その他の詳しい調査もあり、今でも時々新聞で報道される。地辷りのあるものでは地盤の運動は割合に緩徐で、辷っている地盤の上に建った家などぐらぐらしながらもそのままで運ばれていく場合もある。したがって岩などもぐらぐら動き、また互に衝突しながら全体として移動する事もありそうである。そういう実際の現象から「石と石が喧嘩する」というアイデアが生れたかもしれないと思われる。それで、もし、この謙信居城の地の地辷りに関する史料を捜索して何か獲物でも見つかれば少しは話が物になるが、今のところではただの空想にすぎない。しかしこの話がともかくもそういう学問上の問題の導火線となりうる事だけは事実である。

地変に関係のある怪異では空中から毛の降る現象がある。これについては古来記録が少くない。これは多くの場合にたぶん「火山毛」すなわち「ペレ女神の髪毛」と称するものに相違ない。江戸でも慶長・寛永《かんえい》・寛政《かんせい》・文政《ぶんせい》のころの記録がある。耽奇漫《たんきまん》録《ろく》によると文政七年の秋降ったものは、長さの長いのは一尺七寸もあったとある。この前後伊豆大島《いずおおしま》火山が活動していた事が記録されているが、この時ちょうど江戸近くを通った颱風《たいふう》のために工合《ぐあい》よく大島の空から江戸の空へ運ばれてきて落下したものだと云う事が分る。したがってそれから判断してその日の低気圧の進路のおおよその見当をつける事が可能になるのである。

気象に関係のありそうなのでは「狸の腹鼓《はらつづみ》」がある。この現象は現代の東京にも未だあるかもしれないがたぶんは他の二十世紀文化の物音に圧倒されているために誰れも注意しなくなったのであろうと思う。ともかくも気温や風の特異な垂直分布による音響の異常伝播《いじょうでんぱ》と関係のある怪異であろうと想像される。今では遠い停車場の機関車の出し入れの音が時として非常に間近く聞えると云ったような現象と姿を変えて注意されるようになった。狸もだいぶモダーン化したのである。このような現象でも精細な記録を作って研究すれば気象学上に有益な貢献をする事も可能であろう。「天狗《てんぐ》」や「河童《かっぱ》」の類となると物理学や気象学の範囲からはだいぶ遠ざかるようである。しかし「天狗様の御囃子《おはやし》」などというものはやはり前記の音響異常伝播の一例であるかもしれない。

天狗《てんぐ》和尚《おしょう》とジュースの神の鷲《わし》との親族関係は前に述べたが、河童が海亀《うみがめ》の親類である事は善庵随筆《ぜんあんずいひつ》に載っている「写生図」と記事、また筠庭雑録《いんていざつろく》にある絵や記載を見ても明である。河童の写生図は明に亀の主要な特徴を具備しており、その記載には現に「亀のごとく」という文句が四箇所もある。そうだとするとこれらの河童捕獲の記事はある年のある月にある沿岸で海亀が獲《と》れた記録になり、場合によっては海洋学上の貴重な参考資料にならないとは限らない。

ついでながらインド辺の国語で海亀を「カチファ」という。「カッパ」と似ていて面白い。

もっとも「河童」と称するものは、その実いろいろ雑多な現象の綜合とされたものであるらしいから、今日これを論ずる場合にはどうしても一旦《いったん》これをその主要成分に分析して各成分をいちいち吟味した後に、これらがいかに組み合わされているか、また時代により地方によりその結合形式がいかに変化しているかを考究しなければならない。これはなかなか容易でないが、もしできたらかなりに面白く有益であろうと思う。このような分析によって若干の化物の元素を析出すれば、他の化物はこれらの化物元素の異なる化合物として説明されないとも限らない。CとHとOだけの組合せで多数の有機物が出るようなものかもしれない。これも一つの空想である。

要するにあらゆる化物をいかなる程度まで科学で説明しても化物は決して退散も消滅もしない。ただ化物の顔貌がだんだんにちがったものとなって現われるだけである。人間が進化するにつれて、化物も進化しないわけにはいかない。しかしいくら進化しても化物はやはり化物である。現在の世界じゅうの科学者らは毎日各自の研究室に閉《と》じ籠《こも》り懸命にこれらの化物と相撲《すもう》を取りその正体を見破ろうとして努力している。しかし自然科学界の化物の数には限りがなくおのおのの化物の面相にも際限がない。正体と見たは枯柳であってみたり、枯柳と思ったのが化物であったりするのである。この化物と科学者の戦はおそらく永遠に続くであろう。そうしてそうする事によって人間と化物とは永遠の進化の道程をたどっていくものと思われる。

化物がないと思うのはかえって本当の迷信である。宇宙は永久に怪異に充ちている。あらゆる科学の書物は『百鬼夜行《ひやつきや》絵《こうえ》巻物《まきもの》』である。それを繙《ひもと》いてその怪異に戦慄《せんりつ》する心持がなくなれば、もう科学は死んでしまうのである。

私は時々密《ひそか》に想う事がある、今の世に最も多く神秘の世界に出入するものは世間からは物質科学者と呼ばるる科学研究者ではあるまいか。神秘なあらゆるものは宗教の領域を去っていつのまにか科学の国に移ってしまったのではあるまいか。

またこんな事を考える、科学教育はやはり昔の化物教育のごとくすべきものではないか。法律の条文を暗記させるように教え込むべきものではなくて、自然の不思議への憧憬《どうけい》を吹き込む事が第一義ではあるまいか。これには教育者自身が常にこの不思議を体験している事が必要である。既得の知識を繰返して受売りするだけでは不十分である。宗教的体験の少い宗教家の説教で聴衆の中の宗教家を呼びさます事は稀《まれ》であると同じようなものであるまいか。

こんな事を考えるのはあるいは自分の子供の時に受けた「化物教育」の薬が利《き》き過ぎて、せっかく受けたオーソドックスの科学教育を自分の「お化鏡」の曲面に映して見ているためかもしれない。そうだとすればこの一篇は一つの懺悔録《ざんげろく》のようなものであるかもしれない。これは読者の判断に任せるほかにない。

伝聞するところによると現代物理学の第一人者であるデンマークのニエルス・ボーアは現代物理学の根本に横わるある矛盾を論じた際に、この矛盾を解きうるまでに吾々人間の頭はまだ進んでいないだろうという意味の事を云ったそうである。この尊敬すべき大家の謙遜《けんそん》な言葉は今の科学で何事でも分るはずだと考えるような迷信者に対する箴言《しんげん》であると同時に、また私のいわゆる「化物」の存在を許す認容の言葉であるかとも思う。もしそうだとすると永い間封じ込められていた化物どももこれから公然と大手をふって歩ける事になるのであるが、これもしかし私の疑心暗鬼的の解釈かもしれない。識者の啓蒙《けいもう》を待つばかりである。

（昭和三年十一月下旬）

比較言語学における統計的研究法の可能性について

言語の不思議は早くから自分の頭の中にかなり根深い疑問の種を植付けていたもののようである。六、七歳のころ、始めて従兄《いとこ》から英語の手ほどきを教えられた時に、最初に出逢《であ》ったセンテンスは、たしか「猿《さる》が手を持つ」というのであった。その時、まず冠詞というものの「存在理由」がはなはだしく不可解なものに思われた。The（当時仮名で書くとおりにジーと発音していた）が、到る処文章の始めごとに繰返されて出現する事が奇妙に強い印象を与えた事を記憶する。自分の手のことを「持つ」というのもおかしかったが、これが「手を」の前に来る事がはなはだしく不思議であった。

今になって考えてみると、このジー、ジーという音の繰返しは、当時の幼い頭の中に、未だ夢にも知らなかった、遠い遠い所にある、一つの別な珍らしい世界からのかすかなおとずれのように響いたのかもしれない。それはとにかく、当時に感じた漠然《ばくぜん》たる不思議の感じは、年を経て外国語に対する知識の増すと共に、しだいに増しはしても、決して減りはしなかった。ただそれがしだいに具体的な疑問の形をとって意識されてきたのである。しかし四十余年前に漠然と感ぜられた疑問は今日に到っても依然たる不可解の疑問である。そして少しばかり言語に関する学者の所説などを読んでみても、なかなか簡単にこの疑問の答解は得られそうもないように思われた。

　英語やドイツ語とだんだん教わるうちに、しばしば日本語とよく似た音をもった同義の語に出逢う事がある。これは偶然であろうとは思っても、そのことごとくが偶然の暗合であるという事を証明する事もかなりにむつかしそうに思われた。

　自分のまだ学生時代に、ある学者が、日本の神話の舞台をギリシア近辺へ持っていこうとする大胆な説を公にして問題になった事がある。自分は直接にその所説の全部を読んだわけではなかったが、その説の一部をどこかで瞥見《べっけん》して、いろいろその所説に対する疑を起した事もあった。しかし単に説の奇矯《ききょう》であり、常識的に考えてありそうもないというだけの理由から、この説を初めから問題ともしないでいたずらに嘲《ちょう》笑《しょう》の的にしようとする人のみ多い事にも疑を懐《いだ》かないわけにはいかなかった。少くも東欧の一部と極東日本との間に万一存在したかもしれないなんらかの古い関係の可能性という事までも、なんの考察もなしに否定せんとする人のあまりに多いのに驚いた。もちろん当時これに関する言語学者間の意見がいかなるものであったか自分は知らない。ここで自分のいうのは、言語学者でない一般有識階級と称するものについてである。とにかくギリシア古代と日本古代との間になんらの交渉もなかったという事を科学的に証明する事をはたして誰れがあえてしうるであろうと疑ったこともある。

十年ほど前に少しばかりロシア語の初歩を学んだ事もあった。それがために「言語の不思議」に対する自分の好奇心と疑問とは、むしろ急に大きな高い階段を一つ駆け上ったような気がした。そして、一方で新しい不思議が多量に加わると同時に、他方ではこの新しい不思議が、かえって古い不思議の謎を解く鍵《かぎ》となりうる可能性を暗示するようにも見えた。それは単に語彙《ごい》中のあるもののみならず、その文法や措辞法《そじほう》に、東西を結付ける連鎖のようなものを認める、と思ったからである。

最近に到って「言語」に対する自分の好奇心を急激な加速度で増長せしめるに至った経路はあるいは一部の読者に興味があるかもしれないし、また自分が本分を忘れて、他人の門戸を覗《うかが》うような不倫をあえてするに到った事の申訳にも幾分はなるかもしれないから一つの懺悔話《ざんげばなし》としてここに誌《しる》してみよう。

地球物理学上の近年の問題となっている陸塊の水平移動に関する学説、俗に大陸漂移論と称するものから見た日本陸地の成立、変化、ならびにこれに聯関《れんかん》して問題となるべき陸地の昇降、地震、火山現象等を追究するに当って、しばしば古い過去における水陸分布の状態と現在のそれとの異同が問題となり、その一つの参考資料としていろいろな土地の地名の意義が引合に出る場合がある。そこで本邦地名の問題に触れるとなれば、自然の勢いで、アイヌ語や朝鮮語による地名起原説を参照しなければならぬ事になる。そうなると問題は自然自然に推移して結局は日本語の成立問題にまでも多少は触れないわけには行かなくなるのである。

そうかと云って、自分でこのような問題をどうにかしようという非望を企てるわけにもいかないわけであるが、それでもただやみがたい好奇心から、余暇あるごとに少しずつ、だんだんに手近い隣接国民の語彙を瞥見《べっけん》する事になり、それがしだいしだいに西漸《せいぜん》していわゆる近東から東欧方面までも、きわめて皮相的ながら覗《のぞ》いてみるような行きがかりになってきたのである。

こういう素人遊戯《しろうとゆうぎ》――自分では真剣なつもりであっても、専門の学者の立場から見ればば結局こういうよりほかはないであろう――に耽《ふけ》っている一方で、かねてから、これも道楽として、心がけている日本楽器の沿革に関する考証は自然に世界各地の楽器の比較に移っていく、その途中で、遠く懸け離れた異種民族の楽器が、その楽器としての本質においてのみならず、またその名称においても、一脈の連鎖によって互につながっているらしく見える現象に逢着《ほうちゃく》して、奇異の感に打たれる事もしばしばあった。もちろん楽器の原理は物理学的に普遍なものであるから、各国に同一な楽器のあるのは当然であり、また楽器の名称が往々《おうおう》擬音から生ずるとすれば、類似の名称のあるのは当然であると云って、簡単に片付けて投出してしまえばそれまでである。しかしそれで打切ってしまうのは少し危険であると思わせる理由がいろいろ他の方面から供給されるようである。

少し唐突ではあるが地球上における蚯蚓《みみず》の分布を調べた学者の研究の結果によると、ある種の蚯蚓は、東は日本から海を越えて大陸に、欧亜大陸を横断して西はスペインの果まで拡がり、さらに驚くべき事には大西洋を渡って北米合衆国の東部にまでも分布されているのである。大陸移動説を唱えたウェーゲナーは、この事実をもってヨーロッパと北米大陸とが往昔連結していたという自説の証拠の一つとしてこれを引用しているくらいである。それはとにかく、あの運動遅鈍なみみずでさえ、同じ種族と考えられるものが、「現時の大洋」を越えてまでも拡がっているという事実を一方に置いて考えてみる。もちろんこの蚯蚓の先祖と人間の先祖とどちらが古いかというような問題はあってもそれは別として、この事実はともかくも、過去の世界じゅうの人間の間の相互の交渉は、普通想像されているよりも、想像されうるであろうよりも、もう少し自由なものではなかったかという疑を喚起させるには十分であろうと思う。世界じゅうの人間の元祖が一つであろうという事は単に確率論的の考察からも一番考えやすい事であるが、今ここで軽々しくそういう大問題に触れようとは思わない。

ただ少くも動物学上から見て同種な Homo Sapiens としての人間の世界の一部において任意の時代に発生した文化の産物のすべてのものが、時と共に拡散していくのは、ちょうど水の中に垂らした一滴のアルコホルの拡散していく過程と、どこか類似したものであろう、という想像は、理論上それほど無稽《むけい》なものではあるまいと思われる。

昔の詩人ルクレチウスは、物質の原子はちょうどアルファベットのようなもので、種々な言語が有限なアルファベットの組合せによって生ずるごとく、各種の物質がこれら原子の各種の組合せによって生ずると書き残したが、この考は近世になって化学式というものによっていくらか科学的に実現された。今この考を逆に持っていくとこんな考も起し得られる。すなわち、まず、言語、国語という一つの体系は若干の語根元素から組成されていると仮定する。次には、この元素が化合して種々の言語や文章が組成されているが、これらの間にはその化合分解の平衡に関するきわめて複雑な方則のようなものがあると想像する。なおこれらの元素は必しも不変なものではなくて、例えば放射性《ラディオアクティヴ》物質のごとく、時と共に自然《スポンテニアス》に崩壊《ディスインテグレート》し変遷《トランスミュート》する可能性をもつものと想像する。それで仮りに地球歴史のある一定の時期において、ある特別の地点において、特殊の国語が急に発生したと仮定すると、それはちょうど水中にアルコホルの一滴を投じたと同様に四方に向って拡散《ディフュージョン》を始めるであろうと仮想される。

すなわちその国語の語根のある一つだけを取って考えると、それはアルコホルの一分子のように、不規則に彼方此方《こなた》と人から人を伝わって、迂曲《うきょく》した径路をとりながらも、ともかくも、統計的には、その出発点からしだいに遠く距《はな》れていくであろう。もっとも、この際問題を複雑にするのは、物質分子の場合と異なり、言語の一分子は独立の存在として彷徨《ほうこう》するのでなく、その周囲に絶えず影響を与え、自分と同一なものを発生させていく点にある。しかし一つの分子の通過したくらいでは、おそらくその径路への影響は短時間に消滅してしまうであろうと考え、ただ同種の分子が種々の径路を通ってある地域に到着し、ある時点におけるその密度が相当の大きさに達した場合にのみ、その地点の国語に固定的の影響を与えるであろうという、少し無理であるが、またややもっともらしい仮定を許容すれば、問題はあるたびまでは、やはり物質分子の拡散に類したものとなるのである。

かくのごとき仮定の下に、ある分子が時間tにおいて、距離rと、それよりdrだけ大きい距離との間の地帯に達するプロバビリティは

$$W(r, t)\,dr = \frac{1}{4\pi Dt} e^{-\frac{r^2}{4Dt}}$$

であり、中心から同時に出発した分子総数がNであれば、この時点にこの地帯に来るものの数は $NW(r, t)dr$ である。しかしこれらの分子が放射物質のように自然崩壊をするものとすれば、この数はtについて指数函数的《しすうかんすうてき》に減じるので

$$Ne^{-\lambda t}W(r)dr$$

であるとすべきであろう。さすれば距離rにおける密度は、これを$2\pi rdr$で除したもので、これをσとすれば

$$\sigma(r, t) = \frac{N}{3\pi^2 Drt}e^{-\left(\frac{r^2}{4Dt}+\lambda t\right)}$$

で与えられる。

もし中心から不断に供給が続けられていれば、これを時間tに対して積分する事になるであろう。また中心が空間的に分布されて存在すれば、さらに空間的の積分が必要になる事はもちろんである。

このような考を実際の場合に応用して具体的の数量的計算をする事は、今のところ、不可能であり、また強いてこれを遂行しても、その価値は疑わしいものである。しか

し、ただ、以上の考察の中に含まれた根本の考が幾分でも実際の問題に触れたところがあるとすれば、右に挙げた数式によって代表された理想的過程の内容とその結果とは、また幾分か実際の言語の拡散過程、ならびに時間的空間的分布の片影を彷彿《ほうふつ》させるくらいのものはあるであろうと思われる。

もしもこの考がいくらか穏当である事を許容するとすれば、そこからいろいろな、消極的ではあるが、大事な事柄が想定される。すなわちまず世界じゅうで互に遠く隔った二つの地点に互に類似した言語が存在し、その中間にはその連鎖らしいものが見つからない場合があっても、それだけでは、それが必ず偶然の暗合であるとは断定されなくなる。またある甲地方の古い昔の言語が今でも存し、あるいは今はその地に消滅していて、その隣国民乙の間に現存しているという場合においても、それだけでその語が甲から乙に移入されたものだと推定する事はできなくなる。なんとならばそれはかつて甲から乙に移った事があったとしても、それが甲と前後して乙でも死滅し、ずっと後で丙から乙に移ったかもしれないからである。そのほか分子論的拡散論において云われるようないろいろの事は云われるが、これを要するに、一つ一つの言語の分子を比べるだけでは、それだけでは歴史的の前後は決定しがたいという消極的な結果になるのである。これはちょうど水中のアルコホル分子を一つ一つ捕える事ができたにしても吾々は到底その一つ一つの径路を判定しがたいと同様である。

しかし前の考察から一条の活路が示唆される。それは、約言すれば、同系言語の「統計的密度」の「勾配《こうばい》」(gradient)によって、その系の言語の拡散方向を推定するという方法である。

前の算式によって示さるるごとき理想的の場合においては、一般に同種分子の密度の勾配は、ともかくも中心に対して放射的である。これはもちろん計算を待たずとも明白な事である。それでももし仮りにアジア大陸のある地点からある種の分子が四方に拡散したとすれば、その系統あるいは同色の言語要素の密度は多少同心円形分布の形跡を生じてもよいわけである。たとえこの要素の等密度線がどのように変形しようとも、少くも、その密度の傾度最大方向のトラジェクトリーを追跡していけば、ついにはその源に到着、あるいは少くも近づく事ができそうである。

ただ第一に問題となるのは、いかなる標準によってそのいわゆる同系要素なるものを識別しうるかという事である。これはもちろん難問題である。しかし幸いにして従来の言語学者の努力の結果は、この方法を漸進近似法(Method of successive approximation)によって進めんとする際にまず試みとして置かるべき第一近似の資料を豊富に供給してくれるのである。

この識別法を仮定すれば、次は密度の統計的計算が問題になる。前記の理想的の場合の「密度」が直接いかなる数に相応するかはこれもむつかしい問題であるが、少くもその一つの計量《メジユアー》として、それぞれの地方の国語中における、問題の語系要素の百分率を取ってみる事も一つの穏当な試験的方法であろうと考えられる。そしてこれは必しも不可能な事とは考えられない。

もちろん語根は言語のすべてではない、語辞構成や措辞法もまた言語の要素として重要である。これらをいかにして「分子」に分析するかはかなりむつかしい問題ではあるが、少くも原理の上からはそれも不可能な事とは思われないのである。

以上のような漠然《ばくぜん》たる想像――もちろんこれは今のところただ一つの想像にすぎない――に刺戟《しげき》されて、まず手近なマライ語の語彙に目を通す事を試みた。そうしてこの国語と邦語との類似のはなはだしいのに驚かされた。自然現象や動植物の名称などはそれほどでもないが、形容詞と動詞において特に著しい類似のあるらしい事を感じた。面白い事には、今日我邦《わがくに》一般に行われているきわめて卑俗な言語や、日本各地の方言と肖似する現行マライ語も少くない。また試に『古事記』を繙《ひもと》いて古い日本語を当ってみると、例えばその中の歌詞――最も古い語の保存されているらしい――に現われたむつかしい語彙などが、かなりにもっともらしく、都合よくマライ語で説明され、また古代神名や人名などにも、少くも見かけの上でもっともらしく附会されるものが存外多いのに驚かされた。滑稽《こっけい》な例を挙げれば稗田阿礼《ひえだのあれ》の名が「博覧強記の人」の意味にこじつけられたりした。また他の方面で最も自分の周囲の人々を愉快がらせたのは、彼の大江《おおえ》山《やま》の「酒顛童子《しゅてんどうじ》」が「恐ろしき悪魔」と訳されたりするのであった。これほど関係の深いように吾々素人《しろうと》にさえ思われるものが、何故に今日まで言語学者によって高唱されなかったかが不思議であるように思われた。現にある学者の書には、明にマライと邦語の関係はたいしたものでないと書いてある。一方朝鮮語やウラルアルタイ、チャムモンクメール、オセアニック等の語系との関係についての論文は往々吾々の目にも入ったが、正面からマライとの関係を論じて、そうしてそれが一般学界ひいては世人の注意をひくほどに到ったもののあった事は寡聞《かぶん》にして未だ知らなかったのである。

　朝鮮語との語彙の近似は、何人も懐《いだ》くべき予期に反して案外に少いもののようである。ウラルアルタイックとも、少くも語彙の点ではそれほどでない事も論ぜられているようである。しかしマライはこの点についてはおそらく前二者に劣る事はなさそうに思われたのである。

　その後に Van Hinloopen Labberton が一九二五年のアジア協会学報に載せた論文

を読んで、自分の素人流の対比がそれほど乱暴なものでなかった事を知ると同時に、外国の学者の間ではこれがかなり前から問題になっている事を知るに至った。また、Whymant という人の「日本語及び日本人の南洋起原説」というのにも出くわした。そしてその中で日本人というものがはなはだしく低能な幼稚なものとして取扱われているのに不快を感じると同時にその説がそれほどの名論とも思われないのを奇妙に思ったりした。

マライを手始めに、アイヌや、蒙古《もうこ》、支那、台湾《たいわん》などと当ってみると、もちろんかなり関係のありそうな形迹《けいせき》は見えるが常識的に予期されるほどに密接とも思われないのをかえって不思議に思った。それから、ビルマや、タミール、シンガリースなどから、漸次西に向って、ペルシア、アラビア、トルコ、エジプト辺をあさってみると、やはりいくらかの関係らしいものが認められると思った。ハンガリーやセルボクロアチアンからフィンランドまで行ってみても同様である。

しかしだんだんにこの調子で漁《あさ》っていくと、おしまいにはギリシア、ラテンはもちろん現在行なわれている西欧諸国の語にもやはり同程度の類似が認められる。またかけ距れたアフリカ辺やアイスランドまでも網の目を拡げられる事になってしまうのである。

具体的の例はこの序論においては省略するつもりであるが、ただ自分の意味を明にするために、試に若干の例を挙げると、例えば、最も縁の遠そうな英語ですらも、強いてこじつけようと思えばかなりにこじつけられない事はない。すなわち

beat	butu
laugh	walahu
flat	filattai
hollow	hola
new	nii
fat	futo
easy	yasasi
clean	kilei
ill	walui
rough	araki
hard	katai
angry	ikari
anchor	ikari
tray	tarai
soot	susu
mattress	musiro
etc.	*etc.*

この程度のもの、またもっと駄洒落《だじゃれ》らしいものなら、まだいくらでもありそうである。これらでも、歴史も何も考えずに、子音転訛《てんか》や同化や、字位転換や、最終子音消失やでなんとかかとか理窟《りくつ》をつければつくであろうし、また中には実際に因果の連鎖のあるものもあるであろう。

もっと思いきって、例えばアフリカへ飛んでChikarangaの語彙を当ると、ちょっと当っただけで

象　zhou
魚　hove
鳥　shiri
咽喉　huro

などが見つかる。「象」の訓キサと似たのにはマライの gajah（サンスクリットからとある）があるが、ゾウといったようなのはずいぶん捜したがなかなか見当りにくて、それが、どうであろう、突然こんな意外な所に現われたのである。「魚」も同様であった。「鳥」はむしろアイヌの chiri に近いから妙である。土佐《とさ》で咽喉《のど》を切って自殺する事を「ノロヲハネル」と云うが、この「フロ」が偶然出てきたのはずいぶん人を笑わせる。もっとも万一ことによると、これはアラビアの halq その他同系の語を通じて結局は西欧の gorge, throat, Hals などにもつながり、また一方例えばベンガリの galā などを通してかなり東洋にも拡がっているのかもしれないと想像される。もっと空想を逞《たくま》しくすれば邦語のゴロなどというのも少しは怪しくなるくらいである。

（鳥のアラビア語 tair. 咽喉の支那語 hou lung）。

こういう種類のでは例えばたっつけ袴《ばかま》のカルサンというのがインド辺から来ているかと思うと、イタリアにも類似の名が出てきたりするのである。（タミール語 Kalisan. イタリー語 Calzoni）。

しかしこれらの例を挙げたのは、決してこれらの語が邦語と因果的に関係しているという事を証明するためではなく、むしろただいかなる任意の二つの国語を取って比較しても、この種の類似がありうるものであるという事の例として取ったにすぎない。それで例えば、他方で「魚」や「鳥」の訓が支那語や台湾語で説明されるとか、されないとかいう事は、ここでは問題にならないのである。

ともかくも自分の皮相的な経験によると、いかなる国語の語彙《ごい》の比較でもあまりに面白い「発見」があり過ぎるような気がするので、これは少し考え方を変えなければならないという事に気がついた。そう思わせるもう一つの根拠に、AB両国語で互に同じような音をもっていながら意味の方では明白になんの関係もないという例が、またかなりに多い。最も滑稽《こっけい》な例を挙げるとフィンランド語では鶴《つる》が haikara であり、狼《おおかみ》が susi である。いかにこじつけたくても、フィンランドの鳥獣と東京の高襟や、江戸前の鮨《すし》とを連結すべき論理の糸は見つからない。しかしそうなると同じフィンランド語の狐《きつね》が kettu であり、小船が vene であり、樺《かば》が koivu であっても、これらの類似の前二者の類似との間の本質的の差を説明すべきよりどころが分らなくなるのである。
浜の真砂《まさご》の中から桜貝を拾う子供のような好奇心の追究を一時中止して、やや冷静に立帰って考えてみると、これはむしろなんでもない事のようである、統計数学上の込み入った理論を持出すほどでなくとも、簡単なプロバビリティの考から、少くも原理の上からは、説明のつく事である、というふうに考えられてきた。

まず試みに、子音にのみ注目するとする。そうしてAの国語における子音の総数をnとする。次に問題をできるだけ簡単にするためにB国語の子音をもこれと同数だとする。さらに一番簡単な場合を考えて、各子音がそれぞれ各国語に出現する頻度《ひんど》あるいは確率が一様で、皆νに等しいとすると、$\nu=\frac{1}{n}$で均一になる。（これは少し乱暴に見えるかもしれないが、統計的方法では多くの場合近似の一法として許される事である。場合により頻度の著しく小さいものは省略する事もやってみてよい。）次に語彙中で子音一つより成るもの、二つ、三つ、四つよりなるものというふうに分類する。そしてそれらのおのおのがAB両国語に現われる確率をそれぞれa_1 a_2 a_3……b_1 b_2 b_3……で示すとする。さすればA語のうちi個の子音より成るものの中のある一つを取って、それと同義の語がB語でも同じi個の子音の同順の排列からなるという事の確率は $b_i\nu^i$ であると考える事ができる。（無論Aでiが2のものを取る場合、

Bでiが2でないものはこの統計には入れない事にするのである。）ただしこれはA語一つに対するB語に同じi級のシノニムが他にないと仮定する場合で、もしシノニムがそれぞれs_i個ずつあるとすればこの確率はs_i倍に増加する。もしこの上にメタセシスを許し、またA語の一子音に対すべきB語子音の転訛《てんか》範囲《はんい》を拡張すればこれはさらに増加する。それがいかに増加するかは計算しようと思えばされるはずのものである。しかしここでは最も簡単な場合として、同数シノニムというまでに止《とど》めると結局AB両国語彙一般の比較によって得らるべき純偶然的一致の確率は、

$$P = s_1 a_1 b_1 v + s_2 a_2 b_2 v^2 + s_3 a_3 b_3 v^3 + \cdots\cdots$$

で与えられるはずである。この中に出現するs、a、b、vの各数はともかくも統計的になんとかして求められうる性質のものである。

以上はできるだけ事柄を簡単に考えた考え方である。これ以上にだんだん試験的、近似的仮定を修正して、少しずつ実際の場合に近づけていく事も、原理上からの困難はなく、ただしだいに計算が込み入るだけである。しかし、今のところ、あまりに込み入った計算では実用にならないから、できるならば簡単な形で進みたい。

それで第一の試みとしては、まず前記の一番簡単な場合になるべく適合するように、

材料の方を選定し排列する事である。それは例えば両国語の適当な語彙から比較に不適当な分子、例えば本質的でないと思わるる接頭語、接尾語などを整理し（もちろんこれにはある仮定を要するが、それが tentative method として許容される事は、いわゆる精密科学においても同様である。そしてこの仮定には従来言語学者の苦心研究の結果が全部有効に利用されるはずである。）そうしてそれについて上記の a b を出し、s は「近似的平均値」を推定して導入する。ここで一番困難なはAB の n を同一に整理する事であるが、これにもいろいろの方法がある。例えばA日本語とB英語の場合ならば、まず日本語の方を、仮りに「日本式ローマ字」で書く、しかして英語子音の「文字」の中で日本式にないものは仮りに後者のどれかで「置換」する。例えば c や q を皆 k に直す類である。複子音も同様である。x などは省いても、何かで置換しても統計の結果の値にはたいした影響は与えない事は明である。アラビアなどとなると、だいぶこの置換が困難な問題となるが、しかし例えば喉音《こうおん》のあるものは半数だけ k か g、残り半数を h で代用するというような試験的便法を取って第一歩を進める事もできる。（ここに統計的方法の長所があるとも云われる。）また例えばマライ語の場合ならば ber, mer, per などのプレフィックスの r を省いてみるとか、中間の ng を省いてみるとかする事も試みてよいわけである。

かくのごとき試験的《テンタテイヴ》の整理によって、ともかくも両国語の子音がそれぞれ仮りに十四になったとする。次に仮りに a_1 a_2 a_3 a_4 b_1 b_2 b_3 b_4 がいずれも $1/4$ で a_5 b_5 以上は零とし、s_1 s_2 s_3 s_4 が平均皆4だと仮定すると

$$s_i a_i b_i = \frac{1}{4}\ ,\ i = 1, 2, 3, 4.$$

$$P = \frac{1}{4}\left(\frac{1}{14} + \frac{1}{14^2} + \frac{1}{14^3} + \frac{1}{14^4}\right).$$

$$\frac{1}{14} = 0.07144444$$

$$\frac{1}{14^2} = 0.00510204$$

$$\frac{1}{14^3} = 0.00036443$$

$$\frac{1}{14^4} = 0.00002603$$

$$P = 0.07693694 \div 4 \doteqdot 0.0192$$

すなわち、指定のごとき比較によって、全然偶然から来る暗合の率が約二プロセントはできる事になる。

しかし、上の仮定で明に最も不都合なのは、子音ただ一つをもつ語の割合をはなはだしく大きく見過ぎた事である。これは支那語の場合のほかには明に適用されない。それで、仮りに、単子音語の確率を著しく小さいとして度外視し、なお次のごとく仮定する。

$$a_1=b_1=0;\ a_2=a_3=b_2=b_3=\frac{4}{10};\ a_4=b_4=\frac{2}{10}.$$

$$\therefore\ P=4\left(0.16\times\frac{1}{14^2}+0.16\times\frac{1}{14^3}+0.04\times\frac{1}{14^4}\right)$$

$$=4\times0.0008756\fallingdotseq0.0035$$

すなわちわずかに〇・四プロセント弱ぐらいに減じてしまうのである。

なお、もしも、シノニムの数が、上記4の二倍であるとすれば、以上の百分値はやはり二倍になるだけであるから、この方から結果の桁数《オーダー》に著しい影響は起らない。

次に特別な場合として、邦語をかな一つ一つに切り離し、その一つ一つと音韻の似た原語と同義の支那文字を求め、それを接合して説明をするという、普通よくあるやり方をするとどうなるか。この場合は、a_1 b_1 いずれも1で他は零となるから

$$P = s_1 a_1 b_1 \frac{1}{14} = s_1 \times 0.0714$$

しかるに支那では異音類義の字が多いからこのs_1が大きくなりうる。仮りにs_1を5とすると、三五・七プロセントという多数の暗合を見る事になる。これはこの種の方法による比較の価値を判断する際に参考になると思う。なおこの場合に同じ漢字の発音に対して、各地方的発音の異なるものを材料として、その中から都合のいいものを採るとなるとs_1がさらに一層はなはだしく大きくなって、結局どうでもなるという事になり、かくのごとき比較の言語学上の価値はきわめて稀薄になってくる事は明である。

次に比較の標準を少し下げて、メタセシスを許容すると、Pの展開式のi項に$\underline{|i}$が乗ぜられる事になるが（ただし子音が皆異なるとして）、これでは少くもnがあまり小さくない限り、明に最後の結果の桁数《オーダー》に変化は起らない。

次に、子音転訛《てんか》を拡張していくと、上記のnが減少し、vが増加するから、これは

Pに重大な影響を及ぼす事となる。仮りに濁音を清音と同じにしたり、kとh、mとb、sとtなどを同一視したりいろいろしていくと、独立したものの数nは僅々《きんきん》五つか六つになってしまう。したがって最後のPは著しく増大する。例えば、nを5とすると

$$\frac{1}{5}=0.2;\ \frac{1}{5^2}=0.04;\ \frac{1}{5^3}=0.008;\ \frac{1}{5^4}=0.0016$$

であるから$a_1=b_1=0$；$a_2=b_2=a_3=b_3=\frac{4}{10}$；$a_4=b_4=\frac{2}{10}$の場合でも、$P=s\times 0.007744$となり、$s$が4ならば、約三・一%を得るわけである。すなわち、三分ぐらいの符合では偶然だか、偶然でないか分らない事になる。

以上はもちろんかなりいろいろな無理な仮定の下に行った計算である。これを逐次《ちくじ》修正して言語学者の要求に応ずるように近づけていくことは必しも困難ではないが、ここではしばらくこれ以上に立ち入らない事にする。

要するにこれは、表題にも掲げたとおり、比較言語学上における統計学的研究の可能性を暗示するための一つの試みにすぎないのである。

学者の中には、二つの国語の間の少数な語彙の近似から、大胆に二つのものの因果

関係を帰納せんとする人もあるようであり、また一方においてあまりに細心で潔癖なために、暗合の悪戯《いたずら》に欺かれる事を恐れてこの種の比較に面迫することを回避する人もあるかもしれない。自分にはこの二つの態度がいつまでも互に別々に離れて相対しているという事が斯学《しがく》の進歩に有利であろうとは思われない。むしろ進んで、暗合的なものと因果的なものとを含めた全体のものを取って、何かの合理的な篩《ふるい》にかけて偶然的なものと必然的なものとを篩い分ける事に努力した方が有利ではあるまいか。そうして統計的に期待さるべき暗合の確率と、実際の統計的符合率とを対照して、因果関係の「濃度」を示すべき数値を定め、その値の比較的大なるものについて、さらに最初の仮定の再吟味を遂行し、その結果に基いて修正された新たな仮定を設け、逐次かくのごとくしていわゆる漸近的近似法によって進行すれば、少くも現在よりは、いくらか科学的に研究を進められはしないかと考えるのである。

例えば子音転訛《てんか》の方則のごときでも、独断的の考を捨てて、可能なるものの中から甲乙丙……等の作業仮定を設けて、これらにそれぞれ相当するPを算出し、また一方この仮定による実際の比較統計の符合の率を算出し、この両者を比較して、その結果から甲乙丙いずれが最も穏当であるかを決定すべきである。

統計的方法の長所は、初めから偶然を認容してかかる点にある。いろいろな「間違い」や「杜撰《ずざん》」でさえも、最後の結果の桁数には影響しないというところにある。そして、関係要素の数が多くて、それら相互の交渉が複雑であればあるほど、かえってこの方法の妥当性がよくなるという点である。

それで、この方法を真に有効ならしむるには、むしろあらゆる独断、偏見、臆説《おくせつ》をも初めから排する事なく、なるべくちがったものをことごとくひとまず取り入れて、すべての可能性を一つ一つ吟味しなければならない。軽々しい否定は早急な肯定よりも遥《はるか》に有害であるからである。これは実験的科学を研究するものに周知の事である。また往々にして忘却される事である。もっともこういう丹念の吟味をするにはかなりの手数と時間を要する。それかと云って、いつまでもなんらかこの種の方法をとらなければ、独断と独断との間の討論の終結する見込は立たないように思われるのである。いかに面倒でも遂行すればするだけ、後戻りはしないであろうと信ずる。しかもその方専門の研究者の専門の仕事として見る時は、他の科学者、例えば天文学者、物理学者、化学者などの仕事に比してそれほどに面倒な仕事とは決して思われないのである。

もちろん、これも他の科学の場合と全く同様に、初めからそううまくはいかないであろう。そうして、すべての可能なるものへの試みの「不可能」を「証明」し、抹殺する事にのみ興味をもつ「批評家」の批評を受けなければなるまい。しかしあらゆる

「精密科学」はその根柢《こんてい》において、ちょうどかくのごとき方法を取って進んできたものである。すべてがそのはじめは不精密なる経験の試験的整理を幾重となく折返し繰返し重ねて、漸進的に進んできたものである。その昔、独断と畏怖《いふ》とが対峙《たいじ》していた間は今日の「科学」は存在しなかった。「自然」を実験室内に捕え来ってあらゆる稚拙な「試み」を「実験」の試練にかけて篩い分けるという事、その判断の標準に「数値」を用いるという事によって、はじめて今日の科学が曙光《しょこう》を現わしたと思われる。もし古来の科学者が、「試み」なしの臆断《おくだん》を続けたり、「試み」の結果を判断する合理的の標準なしに任意の結論を試みたり、あるいは「試み」に伴う怪我《けが》のチャンスを恐れて、誰も手を下す事をあえてしなかったら、現在の吾々の自然界に関する知識と利用収穫は依然として復興期以前の状態で足踏みをしていたであろう。そしてまた現在の進歩した時代から見た時に幼稚に不完全に見えないものがいかなる初期の科学の部門に見出されうるであろうか。

余談はしばらく措《お》いて、AB、AC、AD……の関係、なお念のために比較の主客を置換してBA、CA、DA……の関係の濃度に対するだいたいの比較的の数値を定める事ができたとすれば、少くもここにABという一つの「鏈の環《くさり》」が、従来よりはやや科学的な根拠の上に仮設される。さすれば次には、前にAについて行ったと同様の方法を、今度はBについて行うべきである。そうしてともかくも、BCという、「次の環」の見当をつける。順次かくのごとくして、できるならばまた、世界の各方面から出発して、同じようにして、それぞれの鍵を——もちろんそういう鍵が存在するとの作業仮設の下に——手繰《たぐ》っていく。もし多くの人の信ずるであろうごとく、この数々の鍵が世界のどこかに自然と集合すれば簡単である。さすればその焦点に集中した要素をやや確かに把握《はあく》し得らるるから、今度は逆の順序によってこの焦点から発散し拡散した要素の各時代における空間的分布を験する事ができる、その時に至ってはじめて、この篇の初めに出した拡散に関する数式がやや具体的の意義をもって現われてくるであろう。もっともそれはできるとしてもはなはだ遠い未来において始めて実現されうる事であろう。

しかし上に考えた鍵はおそらく一点には集中しないであろう、それがどう喰《く》い違うか、そこに最も興味ある将来の問題の神秘の殿堂の扉が遠望される。この殿堂への一つの細道、その扉を開くべき一つの鍵《かぎ》の、おぼろげな、しかも拙な詞で表現された暗示としてのみ、この一篇の正当な存在の意義を認容される事ができれば著者としてむしろ望外の幸である。

自分はできるだけ根拠なき臆断《おくだん》と推理を無視する空想を避けたつもりである。しかし行文の間に少しでも臆断の匂があればそれは不文の結果である。推理の誤謬《ごびゅう》や不備があればそれは不敏の致すところである。このはなはだ僭越《せんえつ》と考えらるべき門外漢《もんがいかん》の一私案が、もし専門学者にとってなんらかの参考ともならば、著者としての欣《よろこ》びはこれに過ぎるものはない。

想うにこの私案の第一歩の試みを最も有効に遂行するためには、おそらく言語学者と科学者との協力が必要ではないかと思われる。もしこの両者が共同し、その上に器械的の計算や統計を担当する助手の数人の力をかりることができれば、仕事はかなり面白く進行しそうに思われる。しかしこの方がむしろおそらく夢のような空想であるかもしれない。

(附記) 以上の考察においては、最もこの種の取扱に便宜だというだけの理由から、単に「語彙」「単語」のみを問題として、語辞構成法や文法上の問題には少しも触れなかった。しかし自分は決して後者の比較の重要な事を無視しているのではない事を断っておきたい。もっとも文法のごときものでも、これを数理的の問題として取扱う事が必しも不可能とは思われない。事柄が、見方によってはある有限数の型式的要素の空間的排列の方式に関するものであると見る事ができるからである。輓近《ばんきん》の数学の種々な方面の異常な進歩はむしろいろいろな新しいこの方面の応用を暗示するようである。また「除外例」というもののある事から起る困難は、統計的方法の利器によって、少くもある度まで救われうる見込がある。これについては、さらに、機会があったら、幾分具体的に考を進めてみたいという希望をもっている。

最後に誤解のないために断っておく必要のあるのは、従来とても統計的のやり方はあるにはあるが、単に数をかぞえて多いとか少いとかいうだけではなんらの本当の統計としての意味がないという事である。全体に対する実際の符合率が偶然による符合率に対する比のみが意味をもつ、ここではそれを問題にしたという事である。

（昭和三年二月）

解説　寺田寅彦の随筆

全　卓樹

(1)

文をよくする科学者は時々見かける。科学に蘊蓄《うんちく》の深い文学者に出逢うことも稀《まれ》にある。しかし科学史と文学史の両方に名を残すほどの人物は真の稀少種《きしょう》である。

寺田寅彦がそのような稀な存在であった理由は二つ考えられる。

一つはやはり彼の生きた場所と時代である。万能人が現れるのは、物事が未《いま》だ定まらず全てが単純で剛毅《ごうき》な創業期である。寅彦が生きたのは、東亜の古い諸文明が西洋近代の衝撃に軒並み膝《ひざ》を屈する中、それを吸収消化した明治日本が、政治軍事に次いで文化においてもようやく再興を成し遂げた時代であった。文化の再興は一様ではなく、漱石《そうせき》、白秋《はくしゅう》、龍之介《りゅうのすけ》、朔太郎《さくたろう》の峰々が文芸世界に興るのを見てのち、純粋科学の世界に湯川《ゆかわ》、朝永《ともなが》、坂田《さかた》の高峰が聳《そび》え立つまでには十年以上の時差があった。寅彦の姿はまさにその間隙《かんげき》に屹立《きつりつ》している。

いま一つの理由、時間と場所の偶発事情を超えたより深い本質的な理由は、寅彦の中で科学と文芸が一つながりの全体であったことである。この全体が高みに達したとき、彼の科学と文芸とは相伴って時と場を超えた永続性を得たのである。文学界の主流がモデルニスム、シュルレアリスムといった新潮流に染め上げられる中、古式で典雅な文体を守った寅彦の諸編。百年後のいまも読み続けられるのが、前者よりもむしろ後者であるのは、寅彦の書き物に看取される精神の広がりと豊穣《ほうじょう》さのためであろう。

寅彦文学の中核をなすのは言うまでもなく随筆である。彼はもっぱら随筆のみを書いた作家だったと極言することさえできる。しかしその随筆の多彩さはどうだろう。そこには科学に疎い一般読者を啓蒙《けいもう》する、いまで言う科学コミュニケーションの古典「物質とエネルギー」、「天災と国防」、「アインシュタイン」がある。社会の中の科学の役割に思いを巡らせ、その後の科学技術社会論の先駆けともなった「学問の自由」や「科学上の骨董趣味と温故知新」がある。幼年時代からの海への始原的な畏《おそ》れを綴《つづ》って死の影がさす「海水浴」があるかと思えば、軽快な諧謔《かいぎゃく》が微笑を誘う「耳と目」や「電車と風呂」、「珈琲哲学序説」がある。清少納言《せいしょうなごん》や漱石の伝統に連なる随想「まじょりか皿」や「写生紀行」もあれば、フランスの古典、ディドロの『ダランベールの夢』の奇想を彷彿《ほうふつ》とさせる「金米糖」もある。科学界の新発見から絵画芸術の新傾向まで、郷里高知の様子から東京の情景まで、我々は詩人科学者寅彦の目を通して、明治後期から昭和初期の日本という、いまでは永遠に失われた時と場所を、まるで現前にあるかのように幻視できるのだ。

(2)

中でもとりわけ注目に値する一編に、寅彦独自の文芸理論が展開された「科学と文学」がある。そこでは「科学と文学の総合的営みとしての随筆」という、彼の文芸哲学の明確な言語化を見出すことができる。いかにも科学者らしく、意識的で筋道のった方法論をもって随筆の執筆に臨む寅彦の姿が、ここから浮かび上がってくる。

寅彦が依拠するのは自然主義的な文化観である。芸術が追求する美、文学的真実といったものは、決して説明不可能な超越的絶対的価値ではない。それらは生物としての人間共通の感性に基づいた、究極的には人間に有用な概念として理解できるはずである。寅彦はこう強調する。空想的幻想的な作品であっても、それが人々に感動を与えるものであれば、合理的に理解できる心の機能に沿ったもの、未だ解明されていない人間精神の法則に適《かな》うものであるはずだ。

美的感覚も人の心の作用であって、その心はやはり自然科学的な法則のもとにある以上、詩や小説はその法則の実験的な探究だと考えられる。明晰《めいせき》で理性的なアプローチによって、ものに即して世界を表現することで美に到達できるはずである。ものや事象の中に本来潜んでいるが、複雑すぎて見えなくなっている秩序や調和を見出して、それを表に導いてやること。科学も文芸もこのような共通点を持った精神の営みであるはずだ、というのが寅彦の信念であった。

《調律師の職業の一つの特徴として、それが尊い職業であるゆえんは、その仕事の上に少しの「我」を持ち出さない事である。音と音とは元来調和すべき自然の方則をもっている、調律師はただそれが調和するところまで手をかして導くに過ぎない。

いわゆるえらい思想家も宗教家もいらない。ほしいものはただ人間の心の調律師であると思う時もある。その調律師に似たものがあるとすればそれはいい詩人、いい音楽者、いい画家のようなものではないだろうか。》

「調律師」という随筆の中のこの寅彦自身の言葉に、事情は十全に表現されている。寅彦文学のいま一つの特徴を表す言葉が、本編「万華鏡」の序文に見える。

《玩具の万華鏡《カレイドスコープ》をぐるぐる廻《まわ》しながら覗《のぞ》いてみるといろいろの美しい形像が現われる。この書の内容の実体は畢竟《ひっきょう》この玩具の中に入れてある硝子《ガラス》の破片と同様なものにすぎないかもしれない。しかしもし読者の脳裡《のうり》に存在する微妙な反射鏡の作用によって、そこになんらかの対照的系統的な立派な映像が出現すれば仕合せである。》

寅彦の考える文学作品は作者のみで作るものではなく、作品の中だけで完結したものでもない。読者の心の動きが関与して初めてそこに美が現出するのだ。それゆえ作品には余白が必要で、それは読者の思考や夢を誘うものでなければならない。必然、作品は言葉を節約して短くなり、目に立つ装飾を減らした平明な表現が主体となる。それは長大な小説や論説ではあり得ず、読後の余韻の尽きない短編、再読再々読を誘う随筆となったのである。

(3)

数ある寅彦随筆のうちでも特別に味わい深いのは、日常の諸現象の中に科学と詩情を同時に見出す「茶わんの湯」、「線香花火」、「電車の混雑について」といった作品群である。これは寅彦以前にも以降にも、他の著者には類を見ない。

のちに来るイギリスのチューリングの反応拡散方程式による「形の物理学」の先取りであり、同時に生の輝きと儚《はかな》さ愛《いと》おしさを歌った散文詩でもある「線香花火」。チェコの物理学者ペテル・シェバのメキシコ市バス乱数行列理論を八十年先取りするとともに、忙《せわ》しなくまた長閑《のどか》な大正の東京風物詩でもある「電車の混雑について」。ビッグデータと機械学習の二十一世紀に立ち上がるデジタル人文学の先駆けであり、また見知らぬ地への旅愁を誘う異国譚《たん》でもある「比較言語学における統計的研究法の可能性について」。

面白いのは、これらの諸編に登場するのが、寅彦の時代には未だ存在しない科学、彼が予感し予言した新しい科学であった点である。彼の言葉を一歩数理的に進めて方程式を書き下し、コンピュータにかけて計算することができれば、「複雑系物理学」が昭和初期の日本で始まっていただろう。それが実際に行われたのは、現代的電子計算機が作られ普及した、三十年ほどのちの米国においてであった。寅彦の夢は技術的現実にあまりにも先んじすぎていたのである。

東京帝国大学の物理学科を首席で卒業し、母校で助教授となってのち、時をおかず寅彦はドイツに渡り、ベルリン大学で新しい物理学を学んだ。ドイツから彼が持ち帰ったのは、直接にはラウエ博士直伝のX線物理学であり、より広くは当時欧州で始まって間もない量子力学であった。この革命的な物理学理論は、遠からず物質の原子構造を解明し、材料科学から電子工学、レーザー光学から核科学までの、今日の我々の科学技術の基盤となった。

しかし不思議の事情で、寅彦が日本における量子力学の太祖となることはなかった。その役を担ったのは仁科芳雄《にしなよしお》である。代わりに歴史が寅彦に割り当てたのは、気象学そして地震学の開拓者としての配役であった。物理学から見た勃興《ぼっこう》期の気象学、地震学の事情は、随筆「自然現象の予報」に詳述されている。その後の両科学の長足の進歩にもかかわらず、随筆の中に述べられた基本的骨組みはいまでも有効で、ここでも寅彦の透徹した視線を窺《うかが》うことができる。

気象学そして地震学で扱われる対象は、物事を極度に単純化して扱う物理学者の流儀からすれば、変数の多すぎる複雑極まりない系である。そしてこれら諸学の探究が寅彦にもたらしたものこそが、当時まだ影も形もなかった複雑系物理学の予見であった。寅彦の随筆を読み彼の予感した新物理学を知れば知るほど、その後に実現した実際の複雑系理論との符合の精度に、現代の読者は驚くだろう。寅彦は学派をなさぬ孤高の人であったが、文学と科学の両面で彼の衣鉢を継ぐ存在となった中谷宇吉郎《なかやうきちろう》の研究は、雪の結晶の形の解明である。これを寅彦の夢の一つの実現と考えるのは、全く相応《ふさわ》しいことであろう。

（4）

多彩な随筆を通じて浮かび上がる寅彦についての顕著な一事は、彼が何をおいてもまず自由人であったことである。決して無条件に権威に平伏《ひれふ》さず、無反省に因習に従うことを良しとせず、主流思潮や業界の集団思考に簡単には同化しない寅彦の自由精神。彼の少年のような悪戯《いたずら》っぽい目配せ。その由来の一部は藩制社会の旧弊から解き放たれた時代精神かもしれず、また一部は誇り高い土佐《とさ》士族の血脈かもしれない。またそれは、漱石とラウエの薫陶をうけて東洋西洋両思想、文芸科学両道を極めた自信の賜物《たまもの》かもしれない。いずれにせよ寅彦の形に囚《とら》われない飛翔《ひしょう》する精神は、たとえば随筆「電車で老子に会った話」の次の文からも明らかであろう。

《K先生は教場の黒板へ粗末な富士山《ふじさん》の絵を描いて、その麓《ふもと》に一匹の亀を這《は》わせ、そうして富士の頂上の少し下の方に一羽の鶴をかきそえた。それから、富士の頂近く水平に一線を劃《かく》しておいて、さてこういう説明をしたそうである。「孔子の教えではここにこういう天井がある。それで麓の亀もよちよち登って行けばいつかは鶴と同じ高さまで登れる。しかしこの天井を取払うと鶴はたちまち冲天《ちゅうてん》に舞上がる。すると亀はもうとても追付く望みはないとばかりやけくそになって、呑めや唄えで下界のどん底に止《とど》まる。その天井を取払ったのが老子の教えである」というのである。》

そして寅彦は孔子の教えをユークリッド幾何学に、老子の教えを非ユークリッド幾何学に喩《たと》える。言うまでもなく彼にとっての老子は、東亜で昔日より引き継がれてきたままの「古代中国服を着た気難しい老人」ではない。目の前にある現代の科学文明に相応しくアップデイトされた「背広を着た朗らかな紳士」としての老子なのである。

彼の公表した随筆が、大学の物理学科において職務専念義務違反との嫌疑で問題にされたことがある。四十すぎて病を得ての長期の病院療養ののち、寅彦は一時大学を辞めて文筆に専念することを考えた。彼の自由な気質を帝国大学の枠に収めておくのに困難が伴ったことは、容易に想像がつく。幸い彼は大学に留《とど》まった。同じ帝大物理学者の石原純《いしはらじゅん》のように自由に殉じて官職を捨てなかったのは、彼の良き夫良き父としての社会的良識のおかげであった。大学において彼は自由を自家薬籠中《じかやくろうちゅう》のものとし、生涯に二百を超える科学論文を残した。それらは彼の三百に余る随筆と並べられ、寺田寅彦の名は、近代では稀有《けう》なルネサンス的万能精神として歴史に刻まれることになった。

そして寅彦の言葉は、物理学や気象学の学派といった堅苦しさ、文学の流派といった狭隘《きょうあい》さを悠々と超えて、自由の清々《すがすが》しい息吹を伴って、いまでも我々に直接語りかけてくるのである。

（高知工科大学教授）

編集付記

一、本書は、一九二九年に鉄塔書院から刊行された『万華鏡』を底本とした。「科学者と芸術家」は『科学と文学』、「化物の進化」は『銀座アルプス』(いずれも角川ソフィア文庫)にも収録されている。

一、目次と本文との不一致、文字・句読点など明らかに誤りと思われる箇所については、『寺田寅彦全集』(岩波書店)などを校合のうえ適宜修正した。

一、原文の旧仮名遣いは現代仮名遣いに、旧字体は新字体に改めた。

一、漢字表記のうち、代名詞、副詞、接続詞、助詞、助動詞などの多くは、引用文の一部を除き、読みやすさを考慮して平仮名に改めた。

一、送り仮名が過不足の字句については適宜正した。

一、外来語、国名、人名、単位、宛字などの多くは、現代で一般に用いられている表記に改めた。

一、本文中には、「未開人」「未開人種」「瘋癲病院」「聾」「聾唖」「盲者」「癲狂院」といった、今日の人権意識や歴史認識に照らして不適切と思われる語句や表現がある。著者が故人であること、また扱っている題材の歴史的状況およびその状況における著者の記述を正しく理解するためにも、底本のままとした。

万《まん》華《げ》鏡《きょう》

寺《てら》田《だ》寅《とら》彦《ひこ》

令和4年 1月25日　初版発行

発行者●青柳昌行

発行●株式会社KADOKAWA
〒102-8177　東京都千代田区富士見2-13-3
電話　0570-002-301(ナビダイヤル)

角川文庫 23021

印刷所●株式会社暁印刷
製本所●本間製本株式会社

表紙画●和田三造

Printed in Japan
ISBN 978-4-04-400687-7　C0195

◇◇◇

角川文庫発刊に際して

角川源義

第二次世界大戦の敗北は、軍事力の敗北であった以上に、私たちの若い文化力の敗退であった。私たちの文化が戦争に対して如何に無力であり、単なるあだ花に過ぎなかったかを、私たちは身を以て体験し痛感した。西洋近代文化の摂取にとって、明治以後八十年の歳月は決して短かすぎたとは言えない。にもかかわらず、近代文化の伝統を確立し、自由な批判と柔軟な良識に富む文化層として自らを形成することに私たちは失敗して来た。そしてこれは、各層への文化の普及滲透を任務とする出版人の責任でもあった。

一九四五年以来、私たちは再び振出しに戻り、第一歩から踏み出すことを余儀なくされた。これは大きな不幸ではあるが、反面、これまでの混沌・未熟・歪曲の中にあった我が国の文化に秩序と確たる基礎を齎らすためには絶好の機会でもある。角川書店は、このような祖国の文化的危機にあたり、微力をも顧みず再建の礎石たるべき抱負と決意とをもって出発したが、ここに創立以来の念願を果すべく角川文庫を発刊する。これまで刊行されたあらゆる全集叢書文庫類の長所と短所とを検討し、古今東西の不朽の典籍を、良心的編集のもとに、廉価に、そして書架にふさわしい美本として、多くのひとびとに提供しようとする。しかし私たちは徒らに百科全書的な知識のジレッタントを作ることを目的とせず、あくまで祖国の文化に秩序と再建への道を示し、この文庫を角川書店の栄ある事業として、今後永久に継続発展せしめ、学芸と教養との殿堂として大成せんことを期したい。多くの読書子の愛情ある忠言と支持とによって、この希望と抱負とを完遂せしめられんことを願う。

一九四九年五月三日